よしもとばなな

彼女について

文藝春秋

目次

装画　合田ノブヨ
装丁　大久保明子

彼女について

私が昇一と最後に会ったのはふたりが小学校に上がる直前くらいのときだっただろうか。

その日があまりにも楽しくて、今日が永遠に続けばいいと思ったくらいだったから、どういうことがあったかをよく覚えている。

家の中が少しずつ暗いものに覆われつつあった頃だった。

私のママと、その双子の妹である昇一のお母さんが普通に姉妹らしく親しくしていたのを見る最後の日でもあった。そのことを予感していたかのようにその日のふたりはやたらに機嫌がよくて、まるでこの一人っ子たち、私と昇一が生きているだけでこの世は美しい、他にはなにもいらないというような目で、遊んでいる私たちを見ていた。

ふたりがおしゃべりしているあいだ、私と彼はいっしょにアイスを食べたりカルピスを作って飲んだりして過ごした。彼の家の庭に芝生があって、そこにシートをひいておままごとみたいなことをしたのを覚えている。偽のコンロにプラスチックのお鍋を乗せて、おもちゃのにんじんやじゃがいもを煮込み、泥団子を並べてデザートを作った。

双子の親の子供同士なのに、私と昇一の顔は全然似ていなかった。それぞれの父親似だったのだろう。彼はどんぐりまなこにしっかりした唇をしていて、鼻が高かった。私は目が細くて顔も細く鼻が丸い。この子たち、似てないわねえ、不思議ねえ、と同じ顔を並べて私たちの母親が何回も言うのを聞いていた。

あの日の透明な光の具合を、気分のよいときに時々ふっと思い出す。

だんだんと太って顔つきも暗くなって、全体がもやもやしてよどんでいるふうに見えてきていた私のママと違って、やたらに細く美しく輪郭がはっきりとしているおばさまはまぶしく見えた。うらやましいなあ、これが私のお母さんだったらどんなにいいだろう、と私は思った。

なによ、昇一ったら、私と違って幸せな世界にいて、いかにもおぼっちゃまらしく感じがよくって、これからもきっとずっと、お天気だと庭に当たる光がこんなふうにきれいなことを毎日見つめていくんだ。少なくとも世界とはそういうものであると思い込むことが赦される立場にいるんだ。

私はこれから池の底のどろどろとか、殺し合う蟻とかさなぎのまま死んでいく蛾とか、たとえていうならそういうものばっかり見ていくような最悪の気分の中にいるのになあ……子供だったのでそういうふうに言葉としては思っていなかったが、私ははっきりとそういうことを感じていた。そして、いくら憎たらしいと思おうとしても、無邪気な昇一があまりにもかわいらしく優しくて今ひとつねたみきれなかった。うらやましさのあまりに嫌いになれたらどんなにいいだろう、と思った。そうしたらこの悲しみに行き場ができるのに。

でも、昇一が私ににこっと笑いかけるたびに、私はただ嬉しくなるだけだった。

そんなことを考えながらも、私たちは泥団子作りや泥パンケーキ作りにとにかく夢中だった。途中からはおばさまが出してきてくれた紙粘土まで使って、絵の具で色をつけながら、分業して協力してたくさんの工作をふたりは始めた。できることならその中の日常をそのまま暮らしたかった。理不尽な怒りだとか不安定な要素がほとんどない世界。お互いがただ親切にいられて、目の前のことを手を動かして夢中でこつこつやっている幸せな感じ。

深く青い色の空を見上げて、私はこれから自分の人生に起こることの予感に漠然とした不安を感じ、すでにあきらめはじめていた。

ずっとここにいたいけれど、そうではないのが私の人生、今はこんなに近くにいるのに、こんなにも楽しいのに、昇ちゃんの人生とは違う流れに乗って行くんだ、と。

ふたりの顔や肩は触れ合うほどに近かったから、その予感はいっそうもの哀しいものとなっていた。

見上げると光を反射しながらうろこ雲がまるで生き物みたいに波打って遠くまで続いていて、こういうものを見るときはこれから先のいつでも気持ちは同じに違いない、私からこういうきれいなものを奪うことだけはだれもできない、まるで決心をするように私はそう思った。

その考えも私はその頃すでに持っていたのだ。


すっかり大人になったいとこの昇一が突然たずねて来たのは、私がたまたま久しぶりに東京に戻っていて、自分のボロアパートの小さな部屋にいた、秋なかばのある夕方のことだった。

その日は二日酔いで一日なにも食べておらず、コーヒーだけをがんがん飲んでなんとかやりすごしていた。

やりすごしているばかりの人生を送っていると、だんだん自分がなにをしたくてここにいるのかわからなくなってくる。とにかく生きていようと思って、それだけでよしとしようと思ってここまで来たのに、このままでは緩慢な自殺とあまり変わりない感じだなあと思うことも時々ある。移動でとても疲れたときや、ひとりでベッドに倒れ込んで全身がさみしくて震えるような、空気を吸っても胸が痛い感じがするとき、まだ家族があった頃の生活をふっと思い出すとき。

でも昨日昔のボーイフレンドがお金をくれたので、しばらくはお金のことを考えないで暮らしていられるということが、ものすごい二日酔いの中でも私を上機嫌にしていた。昨日はその人と会って、最近どういうふうに暮らしているの、と言われ、相変わらず居候が多いよ、と言ったら、力になるよと言われ、目の前でお金を振り込んでくれた。それからふたりで共通の知人のお店に飲みに行って、夜中までおしゃべりして帰った。彼は私に手を出さなかった。そういうときもある。でもとにかく、彼は私に会うと、いつでもお金をくれたりごちそうしてくれる。返さなくていいと言うから、くれているのと同じだ。それが彼を生きているという気持ちにさせるのだそうだ。彼は私が定職につかない理由やなんとなく目立たずに身をひそめて生きている理由を全く信じていない。私のことを少し頭がおかしいか、実はお金もちの娘だと思っている。あるいはほんとうはいつまでも彼のことだけが好きなのだと思っている。結婚してあげられなくて悪かった、と思っている。私が見たところによると、男の人の八割くらいは、いくつになっても自分のまわりにいる女の人たちが自分に多かれ少なかれ気があると思っているみたいだった。もしもそんなふうに思えたら、人生はすてきなものなんだろうな、と思う。こんなに冴えないし先はわからないけれどやたらに美しくふわふわしている、私の人生ほどではないと思うけれど。

定職につきたい気持ちがないこともないし、結婚して子供を産んでというのも考えないことはなかった。相手も、強いて言うならこの人だろうという長いつきあいの人がいなくはない。でも、どうしてもすんなりそういうことをする気持ちになれない。家族の過去から自分だけ逃げていなくてはいけないような気がしている。だれかを自分の人生にほんとうに巻き込むのはこわいし、説明してわかってもらえる気もしない。自分が病原体のようなものだと感じていることを、私はうまくはいつも言えない。私が存在するとその場所が微妙に死の影を帯びることには、男女の間柄に暗い味を添える以外によいところはない。いろんなことをやりそこなって、できそこないなのに生きている、考えたらきりがないくらいに悲しいことだ。

それでも、価値はあると思っていた。

たとえば、こんなふうに、あまりにもすごい二日酔いが醒めていく過程はほとんど天国のように美しいものだった。具合の悪さのピークよりも抜けていくときがいい。空を見つめているとほとんど生きているだけで幸せだと感じる。いつも見えない遠い雲の細かい隙間まではっきりと見える。やはり生きていよう、生きてやると執念深く私は思う。こんなきれいなものをいましばらく見ていたいと思う。その気持ちも子供の頃から全く変わっていない。

昇一がただものではない人にしっかりと成長したことは、ひと目見てわかった。隙がないし、自分の行動に言い訳やむだなものがないように日々自分を律している人だということが気配から伝わってきた。そういうことっていうのはたたずまいやちょっとした会話ですぐにわかるものだ。

そのとき、ぼんやりと窓の外を見ていたら突然ドアがノックされ、私は警戒しながら覗き穴をのぞいた。

すると体格のいい、目つきの鋭い昇一が背筋を伸ばして立っていた。まるでずっと前からそこにいたかのように。確かに見たことある人だけれど、だれだろうと私ははじめ思った。そして彼が、

「敦子の息子の昇一です。」

とドア越しに言ったので、私はびっくりしてすぐにドアを開けた。

よく見ると面影はあった。幼い子供のときと同じどんぐりまなこに、くせっ毛。ちょっとずんぐりむっくりの体型。きれいな手。

はじめ笑顔を見せず厳しい目で私がじっと見つめても、彼は全くたじろがなかった。たじろがないところを信用したい気持ちになって、私はふっと笑った。彼も少し目を細めた。

「なにか手伝えることがあると思って来ました。」

彼は言った。

「突然になんなの？　だって、何年ぶり？　何十年かもしれない。」

私は言った。

「電話番号もわからなかったし、この住所もあいまいだったから、直接来てしまった。ごめんなさい。実は、おふくろが二ヶ月前に亡くなったんです。」

彼は言った。

「まあ……お悔やみ申し上げます。それを知らせにわざわざ来てくれたのね。」

私は言った。

もう縁が切れた親戚だったとはいえ、いつも私に優しかったおばさまのことを思うと胸がきゅうとしめつけられた。昇一は幼児のときにすでにものすごいマザコンぶりを見せていた。彼はおばさまが近くにいなくても全く動じないのだ。おばさまは彼にとって神様くらいに絶対的な存在で、彼女があらゆる場所に偏在しているかのように彼はその愛情に安心しきっていたのだ。甘ったれめ、でもあんな優しいお母さんなら無理もないわ、と幼いながらに私は思ったものだった。

その、おばさまの優しさというものは決してほんわかしたものではなく、酸いも甘いも嚙み分けた後に、なにかを悟って静かになった人特有の余裕からくるものだった。そんなところをおくびにも出さない品のよい人だったが、たとえていうなら昔に不良だった時期があり、いつでも悪くこわくなれるとわかっていて、あえてそうしないという人のような深い凄みが黙っていても伝わってきたものだ。

最後に会ったそのおままごとの日、私とママがもうすぐ帰ろうという頃、私を呼び止めたおばさまは庭の夕陽を背にしてこう言った。

「小さな声で言うから、表情を変えないで。」

なにか大事なことを言おうとしているのだということだけはわかり、私は小さくうなずいた。

「私はね、いつか、あなたが困ったとき、あなたをうちの子として引き取れないかどうか、考えているの。あなたのママには絶対言わないでね。でも本気で思っているの。とってもむつかしいことだから、順番がものすごく大切なんだけれど。」

オレンジの光がまぶしくて、おばさまの顔はよく見えなかった。でも、おばさまが本気だということはわかり、私はなにも言えなかった。どうしてそんなことを言うのかわからなかったのだ。でも鋭いおばさまには、私がその頃漠然と感じていたいやな予感が同じように、いやもっと強く感じられているのだろう、と悟った。その点で私たちはその瞬間、完璧に通じ合っていた。

「私がこう思っていることだけ、決して忘れないでおぼえていて。それから、うちか、他のところか、とにかくかくまう用意はできているから、なにかあったらいつでもここに来るのよ。住所と電話を書いた紙を、この像の口の中に入れてあるから。」

そう言っておばさまは、私がその日庭を深く掘り返していて見つけ、おばさまのところに走って持っていった、カッパに似た変わった形をしている妖怪か精霊の小さい像を私にくれた。

青銅でできているそれはずっしり重く、見つけたときは錆びていたけれど、少しの間におばさまがママとおしゃべりしながらしっかり磨いてくれて、ずいぶんときれいになっていた。口がぽかっとあいているところに紙が入っているのが確かに見えた。その体にはほのかにおばさまのぬくもりが残っていた。私はそれを大事に胸に抱いて、それから持っていたポシェットに入れた。

そのことをもちろんママには言わなかった。さっきは何を話していたの、と聞かれてどっきりした私は、庭で見つけた小さい像をおばさまにいただいたの、と答えた。よかったわね、とママは言った。見せて、とも言われなかったので私はほっとして、それをこっそり持ち続けた。

それからしばらくして、おばさまとママは永遠に縁を切ってしまった。

ママが魔術を使ったいかがわしいやり方で商売を繁盛させていることにおばさまは意見をしたらしい。ママの力でうちの商売は飛ぶ鳥を落とす勢いだったから、周囲のだれもママに意見を言わなくなっていた。おばさまは軽く言ったのだろうが、だれにも反対されることがなくなっていたママは、それに対して大げさに腹をたて、経済的な意味も含めた絶縁を言い渡したのだった。

多分昇一をママの怒りから守るために、おばさまは二度と連絡をしてこなかったし、私がおばさまの家に避難することも、なぜか結局はなかったのだった。

「おふくろは遺言で、このところ眠るといつも由美子ちゃんの夢を見る、きっとなにかが起きているに違いないって言い続けていたんです。自分はお姉さんと縁を切ったけれど、心がとびきり美しかった由美子ちゃんをあのどろどろした世界に置いてきてしまったことをずっと気にかけていた、だから自分はもうできないから、あなたの体力を使って、あの子を助けてあげて、と言っていたんです。」

　昇一は言った。

「私に関わると、あなたもきっとろくなことがないわよ。」

　私は言った。

「どういうことかわからないけど。でも、決めてきたから。すぐには帰らないよ。」

　彼は部屋のすみに腰をおろして言った。そして急に親しい口調になった。なにかをとりつくろうのをやめた、というふうだった。

「ほんとうに、おふくろの遺言なんだもの、君の力になれって言うのが。それだけが人生の悔いで、おまえがなんとかしてくれると約束をしてくれないと死ねないって言うんだよ、だから僕は必死でいろんなつてをたどって、ここを探したんだ。」

　昇一は言った。彼の態度の変化で、私の中の時間が昔に戻った。庭で泥団子をこねたときに。体をくっつけあって遊んだ感覚に。

「まったく、ずうっとマザコンなんだから。」

　私は言った。

「男は結局みんなマザコンだよ。」

昇一は言った。

「それに、僕はおやじが死んでからずっと自分がおふくろを守ろうと思って、ずいぶん長い間おふくろを手伝って自分のことは自分でして暮らしていたのに、仕事を始めてからは忙しくて家のことはみんなまかせきりだった。それに関しては少しだけ悔いているんだ。だから、今は、ほんとうはおふくろの看病をするはずだった、ぽっかりあいたこの時間で、おふくろの望んだことをしたいんだ。おふくろしか見えてないわけでもなく、べったりだったわけでもなくね。」

昇一はにこりともせずに言った。

「それに、君のお母さんもそうだったと思うけれど、特殊な経歴の人だったから、やはり彼女の遺言にはいろいろな意味で厳粛な気持ちになっているんだ。きっとあの人がそういうならただごとではないんだろう、と思ったんだ。あと、これをすっきりさせないと自分の人生のこれからのこともはっきりしてこない、そう直感したんだ。」

「別に私のことを助けたい気持ちでもないのに？　私のことなんかすっかり忘れていたのに、急に？」

彼の言い方はみな同じ調子にはっきりとしているなあ、おかげでこちらもはっきりと意見を言える、と思いながら私は言った。

「おふくろが由美ちゃんを心配だと思ったなら、由美ちゃんを好きであるなら、きっと由美ちゃんはそれに値する人間だろうとわかってる。でもだからこそ、自分の時間を使ってまで助けたい人物かどうか、自分で考えるためにここにいるんだ。」

昇一は言った。そのきちんとした発言で、もしかしてこの武骨さが頭の悪さ、無能さにつながっているのではないかという不信感はすっかり消えた。なかなかいいことをいい順番で言うなあ、と私は感心した。彼の率直さは、ただ丸ごと出しているのではなく、必要のないものを削った後のものだった。

「僕はおふくろを看取るために会社から半年の休暇をもらった。思ったよりもずっと早くおふくろが逝ってしまったので、余った有給とこれまでの働きとメールでの指示ができることで、しばらくはまだ休める。もともとは辞める覚悟でいたけれど、いつでも戻れるようなやり方を考えたから、海外出張のような扱いで今はあまり顔を出さなくてもいいようになっている。もしもそれで辞めることになったって、今取引のある、友人のやっているレストランが食材の管理部門で採ってくれると言っている。長年自分で買い付けに行っていたし、直接交渉していたので、コネがたくさんあってまだ今はなんとでもなる。だから心おきなく君の気になることを解決するのを手伝えるよ。」

「ねえ、私に気になることがあるかどうか、どうしてわかるの？　それに、あなたがもしもそんなにしてまで私を助けてくれるって言い出すと、それで私の心にわずかな隙が生まれると思うの。」

私は笑いながら言った。なんだか、このこと全部とまじめに向き合っている自分がこっけいに思えて、笑いたくなってしまったのだ。

「どんなに気をはっていても、味方がいると思ったら、わずかに心がゆるむと思うの。そうして私が死んでしまったら、どうしてくれるの？」

「だって君、これまでどうやって生きてきたの？　ずっとたったひとりで生きてきたわけじゃないでしょう？　それに人はそう簡単に死なないよ。」

昇一は言った。

「意外に簡単に死ぬんだって、死ぬときは。」

そう言ってから、私はまた思わずぷっと笑ってしまった。ここも笑うべきところじゃなかったのだけれど、自分の言ったことが話題にぴったりきすぎておかしかったのだ。

昇一はなおもまじめに、

「そうか、そうだよね。簡単に人が死ぬのを君は知っているんだ。ごめん、そんなつもりじゃなかった。」

と言った。

「パパがこの世にいないし、親戚とも縁を切った今では、『小波』は私にとって名字の意味しか持ってない。私はもうコナミヤに興味がないもの。だれがどう経営していようと、どんなにうまくいっていようと、分け前がほしいなんて思っていないの。」

私は微笑んだ。

「お金は？　どうやって生計を立てているの？」

昇一は言った。

「当時、ぎりぎり自立できる年齢だったし、遺産も多少はもらったしね。今のことを言うと、ローマで友達が洋服のブランドをやっていて、それが日本でかなり売れているの。私はブランドを立ち上げるときかなり手伝ったので日本のライセンスを持っていて、それを後から大きな会社に高く売ったの。節約すれば当分生きていけるくらいの額よ。あとはお金をくれたりいつでも家に住ませてくれる奇特な人もふたりいるわ。そのうちの一人はイタリア人のお金持ちで、昔からのボーイフレンドで、年上で独身で、フィレンツェの郊外に住んでいるの。いざとなったらそこに転がり込める。つきあいが長すぎて互いにしばられたくないから、結婚もせずにこんなふうに行ったり来たりしているんだけれど。」

私は言った。うそはなく、全て正直に言った。煙にまくのは簡単だったけれど、そんなことをしてはいけないと感じた。それが私にとって、おばさまが最後まで私を大事に思ってくれていた、ありがたい申し出に対して唯一できることだった。

「じゃあ、ほんとうに、今、君を助けることは何もないっていうことか。」

昇一は言った。

「そうよ。」

私は笑った。

「おかしいなあ。じゃあ、どうしてそんなに逃げるみたいに生きているの？　君を捜すのは大変だった。親戚はみな君が失踪したと言って、詳しくはなにも話そうとしなかったし、僕の電話に出ない人もたくさんいた。やはりあの事件のせいだろうか？　スキャンダルを蒸し返されて営業妨害になるからなのかなあ。」

昇一は言った。

「このことについて、人と話すとろくなことがないのよ。後で胸の奥から、どろどろした塊みたいなのがどんどんあがってきて、気分が悪くなって何日か寝込んでしまうの。」

私は言った。

「おふくろが最後に言っていたことと関係あるだろうか。」

昇一は言った。

「なんて？　おばさまはなんておっしゃっていたの？」

私は言った。

光が少しずつ夕方の色になってきていた。まわりの色はますます透明になってきて、私は人といることが急にわずらわしくなった。昇一はバックパックの中から小さな録音機器を取り出して、再生のボタンを押した。

「なんてことしてるの？」

私はびっくりした。

「これもまた、本人が望んだことなんだ。」

昇一は言った。

小さなスピーカーから、懐かしいおばさまの声が流れてきた。

覚悟して聞いていても、もう死んだ人の声なのでやはり少し哀しい感じがした。目の前が暗くなって、世界が一歩後ろに下がったように思えた。その中からたとえ弱っていても声が小さくても、おばさまの強いシルエットが浮かび上がってくる。

「由美子ちゃん、元気？　もうお会いできないのが、すごく残念です。私は、由美子ちゃんを引き取ってあげられなかったことを、今になってものすごく悔いています。由美子ちゃんは、由美子ちゃんのお母さんが死ぬときに催眠術みたいなものをかけられてしまって、持っているもの全部を取られてしまったと思う。取られたものを取り戻したいかどうかは別として、催眠術をかけられた、つまり呪いをかけられたのと同じです。

それがかわいそうだから、どうしてもはずしてあげたいの。由美子ちゃんのお父さんはおとなしすぎるけれどすごく良い人だったし、あなたが小さい頃はまだそんなに問題がなかったから、確かにあなたは不幸ではないと思う。でもきっとなにか大切なことを忘れてしまっていて、だからただおさまよっているんだと思う。あなたは強い人だから、きっとそれでも楽しくやっていると思う。でももしあなたが小さい時の、いろいろなことになる前の自分に戻りたいと望んでいるのなら、昇一にそれを手伝ってもらってほしい。

どんなに強い人でも、実の親にかけられた呪いを解くのはほとんどの人が失敗するくらいむつかしいの。いずれにしてもきっとわけのわからない恐れがたびたびあなたを襲っているでしょう。それは地面とつながっていない不安から来るのよ。自分で自分をだめにしようとすることさえあるかもしれない。私はあなたのお母さんと縁を切ってしまい、わかっていながら全てを見逃してしまった。あなたを引き取る私の計画は、現実に起きたことに比べて、あまりにもうかつで、ゆるすぎたのよ。だから、せめてできることとして、あなたの魂をあなたのもとに取り戻してあげたいの。

私はもうあなたに会いに行くだけの力がないから、もしも私と絆の強い昇一が由美子ちゃんに会いに行って呪いを解いてくれたら、いつまでも由美子ちゃんに呪いが戻らないように、この命でなんとか止めてみせます。それが、あなたを救えなかった私に唯一できることなの。よけいなお世話かもしれないけれど、もしよかったら受け取ることを考えてみてくださいね。」

私はそれを聞いていたらいろいろな意味でぞうっとしてしまい、この人はいったいなんなんだ、と思った。

でもなるべく顔に出さないで、

「こんなたいへんなこと、正直、重すぎる感じがして、ぴんとこないのよ、ごめんなさい。もしかしておばさまは亡くなられる前に少し頭の中が混乱してらしたんじゃなくって?」

と言った。

「ある部分では、めちゃくちゃぴんときてるっていう眼をしてるけど。」

昇一がさわやかに笑った。

私はさらに考えを深めて、いったいこの親子はなんなんだ、と思った。なによりも彼ら（ひとりは亡くなっているけれど）が今さら、こんな強い確信を持って突然に私に関わってきた意味が、さっぱりわからなかった。人生を混ぜっかえされるようで、むしろうっとうしく感じられた。

「私、今の人生に満足よ。失ったものってあの家だとか、コナミヤのなにがしかの権利だけだと思うんだけれど、そんなものはほしくないし。」

私は言った。

「ねえ、聞いてもいい？　あなたは何を生業にして生計を立てているの？　さっき少し聞いたけれど、つまりはコナミヤと同じような、有限会社を作って輸入食材店をやっているってこと？」

「僕？　今は母親の看病のためということでなにもやっていないけれど。うちの母親はもともとは君のご両親が大きくしたコナミヤの支店をまかされていたじゃない？　君のお母さんと縁を切ったとき、別の人にゆずったようだけれど。でも結局は別の場所で、小さい輸入食料品店をやりはじめて、それがわりとうまくいって、僕がやっていたネット部門も成功したし、有機栽培の珈琲豆の輸入も、エクアドルの農園と提携して、それなりにうまくいっている。」

「それはかなりまずいなあ。そのことってうちのママや親戚は知っていたの？」

私は言った。

「いや、だっておふくろは君たちと絶縁したし、そのあと君のご両親は亡くなられたし、君のおじさんたちとはもともとさほどの交流はなかったようだし、小波の本家はますます関係ないし、うすうす知っているという程度なんじゃないかな。だいたい、君は知ってるかどうか知らないけれど、僕のおやじっていうのが、もともとはコナミヤの取引先の洋風お惣菜屋の社長だったわけ。それでおやじが自分の会社の一部門としておふくろにその店の店長を頼んでいて、会社のほうもおやじが死んでも、僕が大きくなって継げるようになるまではそのままおふくろが続けられるようにはしていったんだな。だからうちの店は、コナミヤよりはずっと、デリみたいな要素が強いよ。今でも店の中にイートインのカウンターがあって、洋風お惣菜を売っているしね。」

昇一は言った。

「ずっとお仕事をしてきたから、昇ちゃんも、きっと亡くなったおばさまも、しっかりしていて現実的なのね。でも、そのお店は、つまりコナミヤとライバルの関係ってことになるの？」

私は言った。

「そういう意味での人間関係の心配は一切ないよ。だってうちのちっぽけな店がもともととコナミヤに関係があったことを覚えている人なんてもう多分だれもいないから。こっちは地元でしか展開してないしね。しかも店はとなりの土地を買ったり、駐車場を作ったりして拡張はしたものの、一軒だけだから。有限会社ではあるけれど、細々としてるから。」

昇一は言った。私は話をそらした。

「昇ちゃんのお父さまってかっこいい人だったよね？　一回くらいしかお会いしてないけれど。」

「そうだな、かなり体格のいい色男だったね。見た目のわりにはまじめでね。」

昇一は言った。

「まあ、僕が高校のときに亡くなったので、理想化されているのかもしれないけれど、家族をほんとうに大切にする気持ちのいい人だったよ。」

「そうか……ねえ、昇ちゃん、呪いって信じるの？」

私は言った。

「全然信じない。おふくろはそういうことを強く信じていたけれど、僕はさっぱりわからない。」

昇一は言った。

「私ももちろん信じないのよ。でも、それが私にかけられた催眠術っておばさまが言っていた意味だと思うんだけれど、あまりにもすごいものを見たり聞いたりしたから、忘れられなくなって体から抜けなくなってしまったということは確かなの。この言い方なら信じられる？　あの事件のあと、ずっと思うようには動けなくて、夢の中で走っているみたいな、もどかしい、変な感じがするの。それはほんとうなの。」

私は言った。

「おそろしい出来事が人にそういう影響を与えるっていうことは、もちろん理解できるよ。それにあんなことがあったら、だれだって人生が変わってしまうだろう。あのとき、なんでうちに助けを求めてくれなかったんだ。おふくろは君のためになんだってしたはずなのに。」

昇一は言った。

そうなのだ、いちばんはじめに思いつくはずのおばさまのところへ、私はどうして行かなかったんだろう？　と考えてみたが、当時の記憶がかすんでいて全くわからなかった。

そこでふと気づいたが私は彼にお茶も出していなかったのだ。

今日一日でもう何回いれたかわからないけれど、もう一回コーヒーメーカーに粉を入れて、水を入れた。すぐにこぽこぽと音がして、部屋全体の静寂がゆらいだ。コーヒーの香りがたちこめて、予期せぬ再会の緊張も湯気といっしょにすっかりほどけていった。窓の外はもう暗くなりはじめていた。

「じゃあ、今から、昇ちゃんの家に行こうか。行きたいな。」

熱いコーヒーを飲みながら私は言った。

「そこは少なくともここよりは広く、部屋も複数あって、湯船のあるお風呂があるでしょ？」

「いいけど、那須だよ。」

昇一は言った。

「やっぱりおいしいコーヒーを飲んでるんだね。これ、おいしいよ。」

「コーヒーの味にうるさい家に生まれたのはお互い確かだものね。まずいコーヒーはいれているときの香りでもうわかるでしょう？　これはこの近所でいちばんおいしい喫茶店のコーヒー豆なの。うちにはミルがないから、ひいてもらったらなるべく早く飲みきるのがおいしさの秘訣ね。私、東京に着いたらまずその喫茶店に豆を買いに行くのよ。ねえ、車で来ているんでしょ？」

私は言った。

「うん、そうだよ。あ、そうそう。うちのことは別にいいよ、ほんとうにうちに来る？」

「うん、おうちまで私を乗せて行ってよ。車にも乗りたいし。」

私は言った。

「なんか楽しくなってきた。」

「ならよかったけど。」

昇一は言った。

おばさまの遺言をかなえて気をすませるために、私からなにかを聞き出すために、ちょっとうちに来てごはんでもごちそうすればいいなんて思っているなら昇一は甘い、だから言うことを聞いてくれてもいいのよね、と私はうきうきした気持ちになった。そして数日分の着替えをボストンバッグにつめこんだ。

昇一は静かにコーヒーを飲んでいた。夜がどんどん降りてきて、部屋の中に入ってきそうだった。冷たい空気といっしょに。澄んだ空の色はそのまま冴えた月の色に映っていた。

「好きな音楽持って行ってもいい？　iPodにつなげてラジオで音楽が聴けるコードみたいなやつ持ってる？」

私が言うと、

「あるよ。」

と昇一は笑った。

「昇ちゃん、恋人はいないの？　私と家に帰って大丈夫？　だれか待ってるんじゃない？」

私は言った。

「いたんだけど、おふくろの看病をしている期間にふられた。」

昇一は言った。

「そうか、でもそれはきっと別れていい人だったよね。」

私は優しい気持ちで言った。すばらしいおばさまがこの世で最後に過ごす時間を、おばさまがいちばん愛した昇一が共有してあげる、それ以上に大事なことがあるような気がしなかった。

「看病って、基本的にただその場にいっしょにいるってことなんだよ。」

昇一はつぶやいた。

「なにもしないで、その人と時間を過ごすってことなんだ。だから、他の人を優先するわけにはいかなかったし、言い訳もできなかったなあ。はじめの頃は病室にもよく顔を出してくれたし、雰囲気も悪くなかったし、その人のことを好きでなかったわけでは決してなかったんだけれど。」
「私だったらその期間はイタリアにでも勝手に行って、弱っているだろう恋人のために
も自分の英気を養ってくるけどね！」
私は笑った。
「それはさ、僕のことを別に好きじゃないから言えるんだよ。」
昇一は言った。ほんとうのことなだけに、つまらない。堅苦しい奴だな、息苦しいっ
たらありゃしない、と私は思った。
せっかくの、勢いに乗って流れていく気持ちが台無しだ。
でも、行き先ができたことや車に乗って移動できるのがとにかく嬉しかったので、私
ははしゃいだ気持ちでその部屋を後にした。
さようなら、この部屋、と鍵をかけて、次はいつここに帰って来るかわからない。そ
ういう、先がなくて淋しくてひやっとする気持ちになるときがいちばん楽しい。
いつでも飛行機や車や電車に乗っていたかった。あまりあれこれ考えなくていいし、
自分がふらふらしていることを忘れることができる。
移動しはじめるときだけが好きなのだ。目的地が近づいてくると少しだけ憂鬱になる。
また地面におりてその中の時間に入り込まなくちゃならなくなる。そこにはいろいろな

人々の気持ちが渦巻いていて、私はそこに少しずつからめとられ、なにかをもらったり吸い取られたりする。それこそが生きていくことだってわかっているからこそ、いやなのだ。

それでも、いとことふたりというのは普通の人間関係よりもましだった。現実にいっしょに過ごした時間とは関係ない、種としてのなにかを共有している別の層の時間がふたりの中に折り重なっているし、体の言葉があちこちで共通している。自分の中の深く暗いところが、彼と同じ旋律を奏でているような感じがした。

高速に乗って、途中佐野のサービスエリアで昇一と私はラーメンを食べた。たくさんの人たちがそこにいた。

みんなどういう暮らしをしていてどこからどこへ行くんだろう、と私は思った。

みんないちように蛍光灯に照らされて、青白い顔で大人も子供もみんなラーメンのことを考えていた。とてもこの全員にしっかりと形のある人生があるとは思えなかった。ゾンビみたいにただうごめいている、自分も含めてそんなふうに思えた。ここですれ違って、もう一生会うことがない人たち。これから飛び立つのではなく地面を這っていく状況のせいか、空港よりもよほど重みのあるリアリティでそのことの不思議を考えた。

しかしそんな空しい考えとはうらはらに、胃の中にものが入ったら体中が熱くなってきた。よし、生き返った、と私は思った。

元気が出たので運転を代わってあげることにした。はじめは慣れない昇一の車を運転するのに必死で黙っていたが、やっと慣れてきて話しかけようとふと見たら、昇一は私のとなりでぐっすり眠っていた。

長いまつげの、よく知らない人生を送ってきた……しかも、私よりはずっと実務的なことが多そうな、現実的な人生を送ってきたであろう、いとこの寝顔がとなりにあるのは変な感じだった。ずっと昔からこんなふうにいっしょに旅をしているような気がした。彼のセーターからは彼のおうちの匂いがしていた。かぐまでは思い出すことのできない、その人の家特有の匂いだった。懐かしくて、顔を埋めてくんくんかぎたいくらいだった。それをたどれば時間を戻っていける気さえした。戻りたい、あの日のおばさまの家の庭に。そこからやりなおしたい。久しぶりに切実にそう思った。

那須塩原のインターを降りると、空気は突然澄んだものになり、青臭い緑の匂いが混じってきた。星がいくつも見えて、気温も数度下がったようだ。音楽を止めて、窓をあけてきれいな空気を吸い込んだ。肺の中もすっと冷えて清められるような気がした。

「もう高速降りたのか、しばらくこのままでまっすぐね。」

昇一は言った。

「ごめん、窓あけたら寒くて起きちゃった？　大丈夫よ、ナビを見て行けるから。」

私は言った。

「まだ寝てていいよ。」

「あ〜、久しぶりに今、深く深く寝た感じがする。もう大丈夫。ぱっちりと目が覚めた。」

昇一は言った。

「ずっと眠りが浅くてね。看病してたから、いつ容態が変わるかと思って緊張して寝るのがくせになっちゃった。最後のほうはおふくろの腕を触って寝ていたけど。それならもし自分が寝込んでしまっても変化がわかるからね。普通の、復活する人の看病とは違って、お別れに向かってる変化を待っているのがすごく悲しかったんだなあ。」

「男の一人っ子にはそんな毎日、きつかったでしょうね。」

私は言った。

「店のパートを長くやっていた父方のおばさんと姪っ子が手伝ってくれて、昼間は交代でずいぶんとつきそってくれたけど。」

「お店は、うまくいってるの？」

私は言った。

「普通だよ。わりと安定している。土地柄もあるんだろうね。別荘族が多いから春夏と週末は調子がいい。」

昇一は言った。

「全てがまっとうなのね、それなら安心だわ。」

私は言った。

「君のご両親のときが異常だったんだよ。」

昇一は言った。

私が小さい頃、うちの親に代替わりしたコナミヤはニュースになるくらいに成功したのだ。

わけのわからない熱狂で店が包まれ、行列は絶えず、どんどんチェーン店が増えて行き、いったん下火になるとまた大したことないはずのもの……瓶に入ったチョコレートだとか、タイのラーメンだとか、特になんていうことのないものが偶然のブームに乗って大ヒットした。

そしてそれがみんなママのオカルト的な力や予言によるものだというのは、公然の秘密だったし、そのうわさもよい効果しかもたらさなかった。

私は、部屋がたくさんありリビングは広大でメイドさんが住む部屋がある大きな成金っぽい洋館に住んでお人形さんみたいな服を着ていた。晩ご飯は長いテーブルで食べて、中央の銀器には果物が盛られていた。専属の料理人が作ったごはんを家族で座って食べた。私は一人っ子で、パパとママとママの弟であるおじさんとそのお嫁さん(彼らに子供はいなかったので、私だけがその家で小さい子供だったのだ)が話している仕事の話題が全くわからず、早く食べ終わってメイドさんと遊びたいということばかり考えていた。

「あんなこと、ちっともいいことではないわよ。」

私は言った。

「いくらママがもともと悪くない家柄から小波家に嫁いで、まあ言い方は悪いけどパパをたぶらかして弟といっしょに実質上乗っ取った、と言っても、しょせん成金は成金だもの。そのあとのコナミヤがうまくいっているのは、普通のことだと思うけれど、だれもあの頃ほどもうけてはいないと思うわ。」

「君の家、おひろめパーティのときに一回しか行ったことないし、あまりにも子供だったからほとんどおぼえていないけれど、広かったなあ。中で迷ったもんなあ。」

昇一は言った。

「今は廃墟のままなの？　それとももう店か工場か倉庫になってる？」

「人が殺された家だものね、しばらくだれも寄りつかなかったと思うけれど。」

私は言った。

「でも、やがて直営の工場かなにかになるんじゃないかな。もしかしてもうなっているかもしれないわよ。あそこ、よほど周囲の様子が変わらないかぎりは、駅からも遠いし、お店にするには人通りが少なすぎる場所だったな。まあいずれにしてももう私には関係ないけど。」

「ごめん、先にお悔やみを申し上げるのは僕のほうだった。久しぶりに会ったのに。自分の親が死んだことで頭がいっぱいで、おじさんとおばさんがもういないことについてもちゃんと話してなかった。」

昇一は言った。

「いいのよ、もう全部が過ぎたことだし。」

私は言った。

目的地が近いらしく、ナビは国道から少し入ったところを指していた。木がざわざわいう音がどんどん大きくなるのがわかる。

ナビの指示通りに暗い道を曲がり、たまにしか住宅のない別荘街の中に入っていった。

「あ、そこの奥から二軒目の緑色の家。」

昇一が言った。門の明かりに照らされた濃い緑色の壁がうっすらと見えた。

「駐車場に一台入ってるけど、手前に入れてもいいの？」

私は言った。

「大丈夫、ほんとうはこの車は近所の別のところに停めているんだけれど、あとで停めなおしてくるから。」

昇一は言った。こういう会話で彼の育ちの良さがわかる。おばさまが大事に彼を育てたことが伝わってくる。その度にそういうものを持っていない自分の足下があやうくなるように思える。

私は車を停め、外に出た。星がにじむみたいにいっぱい出ていて、そのにじみかたに合わせて、なんの感情も動いていないのにじわっと涙が出そうになった。おかしなことだけれど、そうとしかいえないくらいに、目のほうがきゅうと星の光に吸い込まれていく感じがした。

「空気がきれい、森とか乾いた草のいい匂いがする。」

私は言った。

「東京から来ると、車の外に出た瞬間、確かにそう思うよね。」

昇一は言った。

全身が、きれいなものに包まれる感動で細かく震えていた。

昨日まではタクシーの列が連なり夜中も人が絶えない街角にいたのに、急にこんなところにいる。それを体が喜びをもって受け止めようとしているのがわかるようだった。私の体だけが私のほんとうの友達だ、そういうふうに思う。どんなときも、どこにでもついてきてくれる。


門灯を頼りに鍵をあけた昇一が中に入って電気をつけ「どうぞ。」と言った。

私は懐かしいその家に「おじゃまします。」と言って、そうっと入った。

昔来たときとほとんど変わらず、全く古びた印象がなかった。すみずみまでおばさまが楽しく手入れしていたのであろう、清潔な家だった。今も彼女の面影がそこここにあった。ものがたくさんあるわけでもなく、飾りがほとんどないのに寒々しくなかった。

うちのママとは大違いだな、と私は思った。死んだ人をいいふうにだけ言うのも悪く言うのも簡単だし、違うところを比べて憧れすぎるのも空しいけれど、おばさまがどうしてコナミヤという大きなブランドをやすやすと捨てたのか、その答えがこの簡素で住み心地の良さそうな家の中にみんな息づいていた。

もともと持っていたママと同じような暗い力を制御しながら、しっかりと意図を持って、おばさまはこの家を、自分の人生を創ったのだと思った。うちのママととんでもない経歴が同じの双子なのに、おばさまだけ天使であるはずがないからだ。

「おふくろが死んでからは掃除も行き届かないけれど、くつろいでいって。」

昇一は言った。

私はソファに荷物を置いて、

「お仏壇は？」

と言った。

「ないよ、無宗教だったたし。なにかを信仰するなんてまっぴらごめんだって言っていたね。」

昇一は笑った。

「おばさまにごあいさつできるところはないの？」

私は言った。

「母親の部屋にいちおう小さい祭壇みたいなのを作ってあって、写真と花を飾っているよ。見る？」

昇一は言った。

「見るのではなくって、手を合わせたいの。」

私は言った。

昇一の後をついて奥の部屋へ行ったら、きちんと整頓されたベッドのわきのサイドボードの上に、私が知っている頃よりもいっそう深いいいお顔になっているおばさまの写真ときれいなお花が飾ってあった。お水もそなえてあったし、きれいな形のみつろうキャンドルもあった。おばさまがいつもしていたエメラルドのネックレスと指輪も飾ってあった。

「こんなふうにしてって言われたんだ。」

昇一は言った。

「魔女の学校を出たのに、山羊とか星が逆になってるやつとか、変な模様が描いてあるろうそくとか、ないんだね。」

私はしみじみと言った。

私の育った家にはそういうものがたくさんあったのだ。

「映画の見過ぎだよ、だいたい魔女の学校って言ったって、白魔術の学校なんだから、そんなこわいものとは関係ないだろう。でも恥ずかしながら、水晶のついた棒みたいなのと、ダウジングの道具はそこにあるんだよね。」

昇一はほんとうに恥ずかしそうに祭壇の一角を指差した。

そこには見たこともないような美しい石でできたいくつかのきれいな道具が並んでいて、私はぷっと吹き出してしまった。

「ごめんね、笑ったりして。ただ、昇ちゃんのユーモアたっぷりの言い方がおかしかったのよ。」

私は正座して手を合わせ、私のことをそんなに気にかけてくださって、ありがとう、とつぶやいた。心の中でおばさまの笑顔のイメージがきらきらと浮かんでは消えた。

そしてリビングに戻って来たけれど、さっきよりもいっそう気持ちはしんとしていた。

そうか、やはりいろんなことがこの家でも過ぎて行ったのだな、と思いながら。

「なにか飲み物はある？　ビールとかある？　喉かわいちゃった。」

「冷蔵庫の中を適当に見て好きなものを飲んでいいよ。」

昇一は言った。

「昇ちゃんは？」

私は言った。

「今、日本茶いれようと思って。君はいらない？」

「あ、それもいただくわ。」

私は言った。

「変な取り合せだね。胃がびっくりしない？」

彼は笑ってそう言いながら、やかんに水をいれた。

水の音が部屋の空気を生き返らせた。無人の空間に生活の音が広がっていくと、家の中の雰囲気がゆるんでくるのがわかる。私は冷蔵庫をあけた。きちんと並んだ缶ビールを一本出して、食器棚からなるべく思い出がつまってなさそうな客用のコップを借りてつぎ、ぐっと飲んだ。冷たい飲み物が入ると、外の冷たい空気を吸い込んだのと同じ感じで、車にゆられてだるくなっていた体の中がすっきりとする気がした。

「おふくろのパジャマとかあるけど、貸そうか？　洗ってあっても気持ち悪い？」

昇一が言った。

無理に押しかけて来たのは私なのに、この人はなんて優しいんだろう、と私は思った。

「気持ち悪くないよ、でもそんな大事なもの借りるわけにはいかないよ。」

私は言った。

「そんなことないよ、喜ぶと思うよ。おふくろは確かに君のお母さんには複雑な感情を持っていたけれど、君のことは好きだったから。」

昇一は言った。

「それは男の人がよく思いがちな間違いよ。」

私は言った。

「きっとね、大好きな人でも、死んだ後に自分のパジャマを貸すのはいやだと思うよ。なんとなくだけれど。」

「そうかなあ、僕だったら、死んだ後のことなんてどうでもいいけどなあ。どうでもよくないことはしっかり言い残したわけだし。」

昇一は言った。

「昇ちゃんのトレーナーでも貸してくれれば、それで大丈夫。今夜はこのソファに寝てもいい？」

私は心地よい革のソファに座りながら言った。

「いや、おやじが使っていた部屋を客間にした部屋があるから、そこを使って。あとでほこりだけ払って空気を入れ替えてくる。」

昇一は言った。

「そのくらい、自分でやるから大丈夫よ。ありがとう。」

私は言った。三時間のドライブのせいで足がだるくなり、ソファの上にあげていた。昇一はそんな私の足になにを感じるでもないふうで、気をつかわなくてよかった。身内といるときだけ味わえるくつろぎが、私にとって久しぶりにそこにあった。

彼はかなりへたくそないれかたでお茶をいれていた。きっとおばさまが生きているあいだは自分でお茶をいれることもなかったんだろうな、と私は思った。

やはり彼がうらやましかった。あのおままごとのところから全く予想どおりに、こんなに違う人生を歩んでいるなんて。彼にはこうしてなにもかもにしっかりとした土台があり、私はぐらぐらしているところをかろうじて飛び歩いている。それが親の差なんだ、と思い知る。同じ強さをママは外へ外へと力を得ることに使い、おばさまはぐっとおさえこんで内側の世界を育てていった。

しかもそんなママにさえすっかり見捨てられてしまった私なのだからどうしようもない。全くのできそこないだった。

ママとおばさまはそれぞれに自分でよかれと思う生き方をしてきたんだろうけれど、結果は大違いになっちゃったんだな、と私は家の中をじっくりと見ながら思った。

いろいろなことに執着せずほどほどにゆるめた腕の力で、全てを慈しんでいる人が作った家だった。植木鉢の植物さえ、大事にされていたことを訴えかけてくるようだ。人が死んだあとなのに、ここは思い出の牢獄にはなっていない。

普通の暮らしがあり、その先に普通の死があり、双方がそれを受け入れて行ったのであろう、その静かな流れがまだ生きていて、この空間に安定感をもたらしている。

おばさまの異様な育ちによる被害はここにおいては最小限だった。うちでは最大に発揮されてしまったというのに。

「お茶、私がいれましょうか？」

私は言った。

「なんで？　なんかまずいいれかたしてる？」

昇一は笑った。

「そんなふうに、いきなり熱湯をどばっといれちゃだめよ。」

私は言った。

「だって、どうせビールといっしょに飲むんでしょ。」

昇一は言った。

もういれちゃってるしまあいいか、と思いながら、私は微笑んだ。

案の定、お茶は苦い熱湯の味しかしなかった。

私はおかしくてビールをもう一本飲むことにした。

冷蔵庫にあるブルーチーズを「これ食べていい？」とほとんど勝手に出してつまみにした。それが日本の一般家庭にあるにしてはかなりちゃんとしたものだったので驚いたけれど、そうか、私がコーヒーの味にうるさいのといっしょでこの家も輸入食料品店だからなんだ、あたりまえだなと思った。そんなところだけがまだ似ているなんておかしかった。

一瞬、幼い頃に住んでいた家の冷蔵庫の中身が頭をよぎった。いつも珍しくおいしい舶来のものがきちんとすきまをあけて清潔に並んでいたっけ。日本にはないような色とりどりのお菓子が入った試供品のボックスをいつもパパからおみやげでもらったなあ、パパはそれを私にくれるのが大好きで、ママはいっぺんに食べちゃだめよ、と笑いながら言っていた。そんなことを思い出すなんてほんとうに久しぶりだった。

私にだって、平和な時期はあったのだ。そのあとあまりにもいろいろありすぎて忘れていたけれど。両親が私だけを見つめて、私を宝物のように扱っていた頃が。

その家の、主がいなくなってもなお平和な冷蔵庫が、私にそれを思い出させた。


もう遅いし疲れたから、また明日いろいろ話そう、ということになり、先にお風呂に入らせてもらった。湯船のある大きなお風呂は久しぶりだった。

大きな窓があったので、開け放ってお湯をどんどんわかして熱くして入った。まるで露天風呂のような気分になったし、白くつやつやと光る星も暗くどっしりした山影も見えて最高だった。

イタリアには小さい湯船しかなかったし、アパートにはお風呂なんかないし、ここに寄らせてもらってよかった、ありがとう、と私は天国のおばさまに感謝した。もうこのお風呂の幸せだけで充分です、おばさま。私、だれかに気にかけてもらっているなんてそれだけでもう胸がいっぱいなんです。私はそれでいいんです。幸せなんです。もうなにもいらないの。

それにこの豊富な湯の中で、イタリアのだだっ広いタイル張りの浴室を思い出すのも悪くなかった。トイレもビデも丸見えの真っ白いひんやりした空間、窓辺のパネルヒーターから温かい空気が立ち上り、白いカーテンの向こうの窓の外にはオリーブ畑が見える。浴室の広さのわりには小さいバスタブはつるりとしていて、そこにぎっしりとつまっている自分が大きく感じられた。

離れているところのことは、思い出すといつでも懐かしさで輝いて見える。

日本の夜気はしっとりとしていて、冷たい風が吹くたびにほほのほてりがひゅうっと一気に冷えて、気持ちよかった。その冷たさはどんなすてきな化粧水よりも私の肌をきれいにしてくれるように思えた。美しい夜の色が皮膚に塗られているような感じがした。空の上のおばさまから見たら、真っ暗闇の世界で窓を開けている私の顔のシルエットはどんなふうだろうか。愛おしく見えているだろうか。過去からひたすらに逃げ続けてだらだらと過ごしてきた私の顔は、どこかずるくみっともなくなってやしないだろうか。

一時間もたっぷりつかって、大汗をかいて、生前のおばさまが洗ったのであろうふかふかの客用タオルにくるまって、風呂から出た。

このタオルひとつだってこうして私が使ってしまうと、この家の時間が動いてしまう、おばさまがまたひとつ遠くに行ってしまう。そのことが切なかった。でもいいじゃない、どんどん使って壊してあげたほうがいいんだよ、この家全体を今の時間に連れてきてあげたほうがね、ともう一人の自分が言った。

昇一に声をかけて、客間の窓を開けてほこりをぱたぱたと払い、すっかり空気を入れ替えてから暖房をつけてベッドにもぐりこんだ。

神様、今夜寝るところをありがとうございます。今日一日の命をありがとうございます。

私の寝る前のお祈りは、ひとりになってからずっとそういうものだった。

昇一が襲ってくることはまだまだなさそうだし、あのまじめさだとこれからもそんなことは永遠にないかもしれないな、と思い、私は心から安心して眠りに入っていった。

カーテンの隙間から射してくる透明な光が私の顔を直接照らしたので、珍しく朝早くに目覚めてしまった。

家々の間から、まだ緑色がたくさんある山が見えた。車の音もここまでは聞こえない。朝の空気のきれいなことといったら、日本ではないみたいだった。

それでもトスカーナとは違い、よく匂いをかいでみるとうるおった木々の匂いがした。強い風が吹いて吹きっさらしの感じがするのに、木々はまだ水をたっぷりふくんでいる。まだそういう季節なのだ。真冬になればもっと乾燥して乾いた匂いが強くなってくるのだろう。

日本のこの季節の雰囲気に触れるのは久しぶりだった。もの悲しい独特の光のかげんに深い安らぎをおぼえる。私はただそれを味わうように窓の外をじっと見ていた。

朝なのになにも動き出しているように見えないし、景色の中になにも新しいものがない。人々の心もなにも新しいものを欲していない。ただ立ち枯れていく中にだけ美しさがあるような、不思議な風景だった。この中でもきっと新しく子供たちが産まれ、お年寄りが亡くなり、店ができたりつぶれたり、変化はあるのだろう。でも不思議とそれを感じさせない静かなようすだった。

このさびれた別荘地で地道に暮らしていたおばさまと昇一のことを思うと、また少しうらやましくなった。同じような日常を重ねて、その上にまた重ねて、もう重ねていることがわからなくなるくらいに重ねて、くりかえしでできた分厚い愛の塊は死でさえも壊せないほど頑丈に育っていっただろう。

使われていなかったせいか、客間は昨夜そうとうはたきをかけたのにまだほこりっぽく、窓の外から吹いてくる冷たい風にほこりが舞い上がって光に透けてきらきらと虹色に輝き、妙に美しかった。

階下で物音がしていた。昇一はもうとっくに起きていたのだろう。

きっとおばさまによく似た動きで、この家を保っていくための作業のあれこれをしているのだろう。よくあんなにまじめに育てあげたと思う。彼はおばさまの夢そのものだったのだ。私みたいな根無し草になってしまわないように、自分の足で立っていけるように彼を育てたのだ。

「おはよう。」

家の中にコーヒーの匂いが満ちてきたので、私は階下に降りていった。

「おはよう、よく眠れた？」

私が言うと、

と昇一は言った。

「うん、おかげさまで。」

私は答えた。

「コーヒー飲む？」

昇一は言った。

「いただきます。」

私は言った。

朝になるとその小さなリビングの雰囲気はまた格別だった。

なにがどうというわけではないのだが、うっとりするような完璧さがあった。動いて流れて変化しているのに、中心にひとつぴたりと決まったところがあるような感じ。葉がつやつやときれいに茂ったほどよい分量の緑が飾られ、少ないキッチン用品が整然と、しかし決して堅苦しくなくぬくもりをもって朝日に照らされていた。磨きこまれたテーブルの上はなにも置いていないのにあたたかい雰囲気だった。心地よい感触のソファにもたれてそれらを見ていると、作品のようにていねいにこつこつと時間をかけて創られたここに帰ってくるのは毎日楽しかっただろうと思えた。

お茶とは大違いで昇一のいれたコーヒーはとてもおいしかった。

「このコーヒーおいしい。」

私は言った。

「深煎りすぎないのに、すっぱくないし、なんだかとろりと甘い感じ。」

「うち、コーヒー豆も扱ってるからね。コーヒーには君と同じくらいうるさいよ。でもその豆はうちのじゃなくて近所の shozo さんとこのだけど。ほんと、あの店ができていちばん喜んだのは僕らだと思うな。あのお店のお客さんはうちのお客さんとかなりかぶっているから、相乗効果で売り上げが伸びるんだよね。」

昇一はほこらしげに笑った。コーヒーをいれているときの丸めた背中はたくましく、私がほとんど会ったことのない彼のお父さんを思い出させた。

「いいなあ、このおうちでコーヒーを朝飲むのは、とっても幸せなことだなあ。」

私は言った。

「そう言ってもらえたら、おふくろも喜ぶよ。」

昇一は言った。

「ここはおふくろの巣であり要塞であったからね。」

「やはり内面的に厳しい人生を生きていらしたのね、おばさまも。そうでなかったら、こんなにいっしょうけんめいにおうちの中を整えることはしないよね。」

私は言った。

「うちのママのやったあんなことがあったら、どんなときもそれが頭の中に残っているだろうし、多分おばさまほどの人だったら、もう死ぬまで普通の気持ちでだらだら暮らすことはできなかったんだろうなあ。」

「それに、元々はすごく仲がよかったんだものね。」

昇一は言った。

「君の両親はいったいどうしてあんなふうに死ぬことになったの？　そうなる前にだれも気づかなかったの？」

「あまり思い出したくないせいか、よく思い出せないんだけれど。でもね、そうとうおかしくなっていたんだけれど、じょじょになっていたので、本気で止める人がいなかったんだと思うの。おばさまが止めてくれたのが最後くらいじゃないかなあ。あとは他人だから、いざとなればただ離れればいいしと思っていたんじゃないかしら。」

私は言った。

「私たちのお母さんは、特殊な宗教みたいなものの教祖の娘だったよね？」

「ああ、少しだけ聞いた。小さい頃ふたりでいろいろな修行をさせられた、っていうこととか。」

昇一は言った。

「でも、その頃のことをおふくろは最後までほとんど話さなかったな。」

私の頭の中でなにかがきらりと光った。あ、なにかを思い出しそうだ、と思った。思い出したくないことだった。足もとがあやうくなるようななにかだ。こわくなってきて、私は必死で今考えていることに集中しようとした。

「かなりいろいろな術を学んだらしいよ。もともとはトリノにある魔女の学校でおばあちゃんが勉強してきて、認定された白魔女になったんでしょう？　それにおばあちゃんなりに考え出したいろいろなものが加えられて、独特の体系を創りだして人に教えていたって。」

「じゃあさ、なんであのふたりはその宗教のあとをつがなかったの？　おじいちゃんとおばあちゃんがそのせいで離婚したことは知ってるけれど、ふたりはどうしていたの？」

昇一は言った。

「聞いてないの？」

私は言った。

「うん。」

昇一が無邪気にうなずいたので、私はびっくりした。

「私のママが失敗したのと同じような感じで、あるとき降霊会が失敗したんですって。」

私は慎重に言葉を選んで言った。

「そのとき、おばあちゃんがなにか良いものを呼び出していて、それが存在するかどうかは別として、おばあちゃんの実力不足なのか、その場にいたメンバーが悪かったのか、とにかく間違ってなにかよくないものが来てしまって、その人たちは要するにそういうことを信じて集まっていたので、みんな変な暗示にかかってしまったのですって。そしてその後しばらくして、集団自殺をしたの。おばあちゃんは責任をとって悪い存在をこの世の中に広めないように封じ込めるって大まじめに言い残したそうよ。

集団と言っても五人だったそうなんだけれど……まあ、充分多いよね。

タンスの中に隠れていて生き残ったうちのママとおばさまはそれを全部目撃していたけれど、ふたりで抱き合って震えるばかりで、その場に警察ももちろんたくさん来て、その会自体がもちろん解散になって、私たちの親であるところのその双子は、信者さんのひとりがやっていた小さなクリニックでリハビリをして、かなり長い間そこで過ごしたんですって。出たあと、それぞれがどんなことをしていたのかは、聞いていないけれど、ふたりで暮らした時期もあったんじゃないかなあ。あるいはおじいちゃんの家にいた頃もあるのかな。そこは知らないよ。結果的におばさまはおじさまと恋愛結婚したし、それよりずっと前にうちのママはパパと結婚したんだよね。」

私は言った。

「ええ？　それうちのおふくろのこと？　おばあちゃんが変わった死に方をしたショックでどこかのクリニックにいたというのはちょっと聞いたけど、そんなすごいことだったの？」

昇一は言った。

「じゃあ、君の家であったことは、僕にとって全然ひとごとじゃないじゃないか。」

「そうよ。」

私は言った。

「聞いてないのね。ほんとうになにも。おばさまにとって、あなたはほんとうに、ひたすらに過去から切り離された、守るべきものだったのね。」

彼がただ黙っていたので、私は彼の手をそっと握った。

あんな出来事がこの人の人生にも影を落としていないはずがない、と思いながら。間接的にでもあの闇は彼の生活に忍び寄っていただろう。影の所在はわかったほうがいいし、明るみにすることでしか彼のもやもやは解決しない。

ママとおばさまの絆がとても強かったのは、もともとはおばあちゃんの信者だったそのお金持ちのおじさんが院長をしている特殊なリハビリクリニックにコネで入院していたその期間、お互いだけを見つめて支え合って生き延びたからだったという。おばさまはそこであまりにもしっかりとふるまい、ママはそれに感心し、頼りきって、かろうじて生き延びた感じだったらしい。まともだった頃のママはよくいかに自分がだめでおばさまが頼もしかったか、いかに誇らしかったか、という話をしていた。

そこを出てからママはかなり年上のその院長とつきあいはじめ、結婚前は愛人として彼の持っている部屋に住んでいた時期があるとうっすらだけれど私はママから聞いていた。そのあとパパと結婚しても、ふたりは多分ずっとつきあっていたのだと思う。

私はもうおじいさんという年齢にさしかかっていたそのおじさんにお友達とか昔お世話になったので会いに行くとかいう名目で何回も会ったことがあったが、ふたりは今思うと、少なくとも遊びではなさそうだった。ふたりには長くつきあったくされ縁のカップル特有の生臭さがまだ残っていたし、彼がママの激しさに、抗いながらもしんからひきつけられているのがわかった。

ママは当時のおばさまのことを、こう言っていた。

「双子だから、顔を見れば考えていることがわかるのよ。お互いの調子も。私たちは口をきけなくなって、ただずうっと横になっていたり、太陽に当たることも苦痛に思いながら車いすで散歩をしたりしていたけれど、お互いの目をのぞきこめば、そこには『生き延びよう』というはげましが生まれてくるのを常に感じたわ。

あの頃の敦子は、神がかって美しく、ものすごく強かった。私は敦子に焦がれてやまなかったけれど、どうやってもあれほど強くなるのはむりだった。」

そのことを昇一に言うと、彼は涙ぐんだ。

「なんでそんな大きなことを、おふくろは言ってくれなかったんだろうか。」

私は言った。その時期にママの狂気はおばさまへのコンプレックスといっしょに彼女の奥底に根づいてしまい、おばさまのほうはもっと冷静だったから、たとえ同じものを持っていたとしても、それを育てない人生を選ぶことができたのだろう。

「おじさまも知らなかったんじゃないかなあ。私は、言わないことが愛だったんだと思うけれど。だって、言ってどうなるものでもないじゃない。みんな、全て忘れて、全部断ち切って、あなたたちと生きることを選んだんじゃない？」

「だったらどうして君のことをあんなに気にかけていたんだろうか。ずっと忘れていて、死ぬ時に急に思い出したんだろうか。」

昇一は言った。

「それはね、亡くなるときにしかできない秘法が何種類かあるって聞いたことがあるから、それを試みようとなさったのではないかと思うんだけれど。」

私は言った。

「でも、おかしいなあ、それは……。」

そこまで言って、私はまたなにか大切なことを思い出しそうになった。でもいろいろな考えがぶわっとわきでてきて、混乱してしまい、最終的に口からは別の言葉が出る形になった。

「もしかして、おばさまは私を通してもう一回私のママの魂を供養して、仲直りしようとしているのかなあ。」

「いやあ、それはありえないと思うけれど。」

昇一は言った。

「おふくろはうそをつくタイプじゃないし。君を救いたかった、それしか言ってなかったから。君のお母さんのことなんてひとことも言っていなかったよ。だから僕は君を探し当てたんだもの。」

「そうかあ、じゃあ、もう少し考えてみるね。」

私は言った。

「僕はなにをすればいいの?」

昇一は言った。

「どうしたら私を救えるとおばさまが考えていたかによると思うなあ。」

私は言った。

「その秘法っていうのは、どういうの？」

昇一が言った。

「この世とあの世をつなぐぼんやりとした世界で、自分が死ぬ時にだけ、会いたいいろいろな人と面会できるみたいな話を、聞いたことがあるだけなんだけれど。私も自分がしたわけではないから、覚えていないよ。話でしか知らない。そんなの知ってるわけがないじゃない。私、そういうの全然信じてないし、興味もなかったもの。」

私は笑った。

「話でだけでも知っているなんてすごいと思うよ、そんな突拍子もないことを。」

昇一は言った。

「私もそう思う。でもその突拍子もないことのために、いろいろな人が死んだのよね。突拍子もないことを勉強する学校にわざわざ行って、日本にそれを持ちかえって、次の代まで広めて、その中にのめりこんで、何人もが死んだのね。うちの両親も含めて。ほんと、ばかだよね。」

私は言った。

「なんでもいっしょうけんめいにやりすぎちゃだめっていうことなんだね。きっと。」

「君の実家に行ってみたらどうだろうか？」

昇一は言った。

「ぞっとしちゃうな。」

私は言った。

「そこになにか残されたものがあるんじゃない？　そこをお祓いするとかさ。そんなことしか思いつけない自分が実に情けないけれど。」

昇一は真顔でそう言った。

私はなにも知らなかった彼が少し愛おしくなり、彼の気がそれですむようなら、今ならあの家に行ってみてもいいな、と思った。別にいいじゃない、もう時間が経っているし。

「歴史は繰り返したんだよね。なにかの呪いみたいに。それこそママだったら、おばあちゃんが呼び出したものの呪いだっていうだろうなあ。降霊会は、私のママが最後にやったときも同じく失敗して、みんなおかしくなってしまったのだから。もちろんママの思い込みが引き寄せたことだとは思うけどね。」

私は言った。

「君の両親が死んだときのことだね？」

昇一は言った。

「そう、いくら関係が遠かったとはいえもちろん知ってるとは思うけれど……。降霊会の最中に、うちのママがおかしくなって、悪霊が取り憑いたからって言って、パパをナイフで切りつけて、殺したのよね。

その場にいた三人の人のうちふたりはおじさん夫婦だったけれどすぐに外に逃げ出して、通報した。お手伝いさんはそのまま逃げちゃったと聞いた。でもそこにいたもうひとりはいい人だったらしくて、ママがパパを殺すのを止めようとして取っ組み合っているうちにナイフで首を切られちゃったのよね。その人の傷は幸い軽かったけれど、精神的なショックが大きかったから大変だったみたいで、そのあとどうなったのか、わからないの。

それでママは自分も首を切って死んだの。

私はもちろん当時の双子とは違って実際にそれを見たわけではなくって、自分の部屋に隠れていたんだけれど、ショックを受けたところは同じで、そのあたりのしばらくの記憶がほとんどないのよ。

たぶん歴史はそこでも繰り返されて、私もそのクリニックにいて、薬をたくさん飲んでいたから忘れちゃったんでしょうね。

あの事件を、おばあちゃんが呼び出したなにかの呪いだっていう人も、当然もちろんいたけれど、そんなのくそくらえだわ。

とにかくこの世にもういちど出てきたら、小波家とその夜に生き残ったおじさん夫婦にすっかりみんな盗られていた。私を抜きに、全てのかたがついてしまっていた。お店の権利も、家も、なにもかも。あまり考えたくないけれど、クリニックの院長も、口止めのためになにがしかをもらったんじゃないかなあと思う。

とにかく私にはほとんどなにもなかったし、行くところもなかった。言い訳か言い逃れみたいな感じで少しの遺産が振り込まれていて、親戚みんなに全く見捨てられてしまって、実質上縁を切られたの。おじいちゃんはもう亡くなっていたし、親しい親戚はだれもいなかった。私を引き取るのがいやだったんだとは思うけれど、だれに電話しても居留守ばかりだったので、のこのことおじさんに会いに行って、門前払いをくらったわ。私はさほどおかしくなっていなかったのに、私をそのクリニックか、あるいはどこかの病院に閉じ込めていたのは、面倒くさい私という存在に、なにもつがせないためだったのかもね。」

私は言った。

「そんなときこそ、うちに来てくれたらよかったのに。いくら縁を切ってから長かったとは言っても、おふくろは君とまで縁を切るつもりはなかったのだから。しかし、ひどいことするなあ。今からでも弁護士を頼んで、なにか少しでも取り戻したら？　まだ幼くても君には権利がもっとたくさんあったんじゃない？　それこそ手伝うよ。」

昇一は言った。

「いいの、私、きっとそのとき、とにかく遠くに行きたかったんだと思う。だからおばさまに連絡しなかったのかも。ひきとってくれた人もいたし、その後に創ってきた私の人生のほうが、ずっと好きなの。関わりたくないわ。なんだったらあなたの会社に経理かなにかで入るわよ、私。そのほうがずうっといいわ。それに今からあのこわい家を返してくれるって言っても、もう絶対にいらないもの。」

私は笑った。昇一が真顔でいろいろ言ってくれたことだけが嬉しかった。

「君が自分で人生を創れる人でほんとうによかった。」

昇一は言った。

「でないと、悲しすぎるよ。」

「そんなことないよ。」

私は言った。

「私は、私として生まれてきて、私にしかできない感じ方と考え方を持っていて、ただそのことだけでもう、いいと思うの。決して悲しくはないよ。」

そしてまたふたりは静かになって、ぬるくなったけれど甘みを増したコーヒーを飲んだ。窓の外の光を見ながら。光は木の枝の影をくりぬき、きれいな模様を成して踊っていた。

このふたりでしか創れないこんな世界を見つめていると、幼い頃の時間を取り戻しているような感じがした。ある時期を支え合って生き抜いた双子の子供たちとして本来はそれなりに交流もあるはずだったふたり。あの幼い日に私が感じたことは間違いではなかったと思った。ふたりの道ははじめから分れていたのだ。彼の持っているものを私はひとつも持っていない。

でも、もしも家族に恵まれて八十歳まで生きたら、この淋しさはなくなるのだろうか？　と思うと、それはやっぱり違う。

私の淋しさは、確かにあったものがなくなったというものだから、きっとそれはどんな人生でも同じことなのだろうと思う。なにもなくさずに生きられる人はいない。

それはおばさまの人生も同じだったろう。どんなによいものを練り上げても、いったん欠けたものは戻ってこなかっただろう。それでも、なにもしないよりは少しでも前向きなことをしたほうがいいとおばさまはいさぎよく思ったのだろう。昇一といるとそれだけで、おばさまの考えてきたことが間接的にじんわりと伝わってきて、わかってくるようだった。

「どこへ行こうか？　なにをしたらいいんだろう？」

昇一は言った。

「いいわよ、私の住んでいた家へ行きましょう。行ってみましょう。」

私はそう言った。自分でも意外なことに、涙がぽろっとこぼれた。あれ？　涙が出た、と思った。まるで予期せずよだれとか鼻水が出てしまったときのようだった。

昇一はそれをじっと見ていた。なにも言わず、なぐさめるふうでもなく、じっと見ることだけが親切だというふうだった。目をそらすことではなく。

「僕は……もしも君がいやでなかったら、おふくろがいたというそのクリニックにも行ってみたいんだ。」

昇一は言った。

「かんべんしてよ。」

私は言った。

「もう大丈夫だよ。君は永遠に自由なんだ。」

昇一は言った。

「永遠に自由っていうの、それはそれでなんか悲しいね。」

私は笑った。

「院長っていうのは、まだその、おばさんの愛人だったおじさんなの？　ずうっと変わってないのかな？」

昇一は言った。

「うん、もうそうとうな歳だから、現役でその場にいるかどうかは別として、変わってないはず。松濤の住宅街にある一軒家を改装してクリニックにしたところ。」

私は言った。

「よく近所から反対されなかったね、そんなところに作って。」

昇一は言った。

「だって、広大な敷地の真ん中にぽつんと一軒家が建ってるんだもの。どんなにおかしい人がいようと、まわりには迷惑がかからないよ。よほど近所の人以外はみんなあれを雑木林か大使館だと思ってると思うわ。いっぺんにそう大勢の人は入れないようだったしね。」

私は言った。

「お金持ちっていろんな抜け道を持ってるんだなあ。」

昇一は言った。

「お金で解決できないことはないっていうの、ある程度はほんとうかもね。」

「そう思いたかったのが、うちのママだよ。お金のあるほうあるほうへと流れていったし、お金持ちの商人と結婚したり、豪邸に住んだりして、実際にある程度は解決したみたいだし。最後は命がとられちゃったけれど。」

私は笑った。笑うしかなかった。

「よし、じゃああと一時間くらいで出発しよう。」

昇一は言った。

「もう？」

私は言った。

「せっかくここまで来たんだから、温泉に行きたかったな。だいたい昇ちゃんはどこに泊まるのよ、東京で。」

「君んち。」

彼は言った。

「なに考えてんの、ふざけないで。」

私は言った。

「いとこに手を出すなんて、そうとうな勇気がないとできないから大丈夫だよ。」

昇一は言った。

「そういうことじゃないじゃん、あの狭いところでなんであなたといっしょに過ごさなくちゃいけないのよ。」

私は言った。

「じゃあホテルに部屋をとるよ。」

昇一は言った。

「そう来なくちゃね。私の分も部屋とってよ。そうしたら楽しいもの。まるで夏休みみたい！」

私は言った。

「夏じゃないよ、秋というかもうすぐ冬だよ。」

昇一は笑った。

「わかってきたよ。君、東京で退屈してたんだね。遊び相手が欲しかったんだね、今。」

「そうなの。ふだんイタリアにいるから、なんだか日本に来ると浦島太郎みたいで。」

私は微笑んだ。

「それに、そんなつらい場所に次々行くのなら、なにか楽しいことでもないとやっていられないもの。なるべく広くていい部屋をとってね、新しいホテルにしてね。」

「なんだか子供みたい。」

昇一は言った。

「しかたないじゃない、子供から急に大人にさせられたんだもの。せめてずっと子供みたいでいたいのよ。」

私は言った。

そのへんの記憶があちこち飛んでいてさだかではないのだが、私は病院から出て急に世間に放り出され、自分のことをひとつひとつ自分で積み上げてこなくてはならなかったのだ。私には家もなかったし、いやがるおじさんたちとも遺産のことで数回連絡を取っただけだった。気の毒だったのは、おじさんたちが生き延びてもなおびくびくしてもう一生立ち直れないのではないかというくらいに、自分たちに自信がなくなってしまっていたことだった。それで私も彼らに頼る気持ちをすっかり失ったのだと思う。彼らが弱くなってしまったのは、あんなに信じきって同居して商売もいっしょにやっていたママが狂っていたのだから、当然だろう。もともと手堅い考え方の人たちだったが、ママのもたらしたお金が彼らを惑わせていたのだ。

私はまずイタリアのボーイフレンドのところへ行き、リハビリのために農園を手伝ったりしながら、居候させてもらった。日本に帰っているときは友達の家をたずね、友達の両親が持っているアパートの部屋を貸してもらった。学校には行かなかった。ママの趣味でアメリカンスクールに行っていたので英語が話せたし、そのボーイフレンドにイタリア語を必死で習ったおかげでどん底に落ちることはなかったけれど、ずっと自分のことは自分でやって、早く大人にならざるをえなかったのは確かだった。他人の家にずっとやっかいになるというのは、そういうことなのだ。

「それに、いとこだから甘えやすいし。」

「まあいいよ、君の気がすむのがつまりおふくろの気がすむことだっていうことが、だんだんわかってきたから。」

少女マンガに出てくる王子様みたいに、昇一はにこにこして言った。ああ、なんだかいいな、夢みたいだと私は思った。いつも思う。

人と別れるたびに、ある場所をあとにせざるをえなくなるたびに、ひどいことを自分にも人にも言ってしまったときに……もしも夢の中みたいになにもかもがそのまま伝えられたらどんなにいいだろう、と思う。時間の感覚が夢の中みたいになっていたらきっといつでも優しくいられるんじゃないだろうか。ほんとうは人は人にいつだってそうしたいんじゃあないだろうか。

相性がいいのか、昇一はとても扱いやすくて、多分彼にとっての私もそうなので、お互いがいい人でいられるように思えた。


そのクリニックのことをほとんど覚えていなかったのに、門の前に立ったら体がすくむような感じがした。まるで城壁のように高い塀と、門からはうっそうとした木に隠れてあまり見えない家の緑色の屋根をみたら、もやもやした気持ちがあふれてきた。私にもまだこんな純情で繊細なところがあったなんて、と私はおかしくなった。そんな面はとっくに過去のどこかに置いてきたはずなのに、おばさまに心配されても仕方がないわ、これでは。

初めてそう思った。

自分がここにいたという記憶は不思議と全くよみがえってこなかった。

患者が散歩できるのは中庭だけのようで、外からは中が見えない。近所の人が職員以外の人を見かけることはめったになさそうだった。中庭はかなり広そうで、よく手入れされているので閉塞感はないのだろう。大きなミモザの木がある。それからたくさんのイチョウもあった。ここが一面銀杏くさくなる時期の風景をかすかにおぼえていた。

昇一がアポイントを取って、ママたちの名前を出して、その頃にいらした方がもしもまだいるなら母の思い出話を聞くために会いたい、と言ったらだれか当時の人がまだいたらしく、たやすく承認が得られたそうだった。

大きな木のドアの脇にあるベルを押すと、看護師風の制服を着た若い男性がドアを開けた。あくまで看護師風というのがミソだと思った。私はここしか知らないが、こういう、いちおう資格関係はちゃんとしているが、内容は偏っているお金持ち向けの紹介制クリニックというのが、この世にはどのくらいあるのだろう。きっと知られていないだけで、たくさんあるのだろう。需要が多そうだし、ますます多くなって行きそうだ。現代の座敷牢のようなものかな、と私は思った。

「高橋さまですね、どうぞ。」

見覚えのない男性だった。もうスタッフもほとんど入れ替わっているのだろうと思った。リノリウムの長い廊下だけは見覚えがあった。それから建物の全ての窓に格子に見えないように工夫された、でもまぎれもなく意味合いは格子である鉄の飾りがついているることや、あまり鏡がないこと、他の人といっしょにしておけない人たちがいる棟への扉が電動になっていること。そこが普通の病院ではないことを示すいろいろなことがあったのも、だんだん思い出されてきた。

この母屋にあたる建物にいる人たちは、生活するのにはほとんど支障がない程度の人たちか、アルコールや薬物のリハビリが比較的軽い人たちだと聞いていた。

施設の内部にそれ以上入って行くこともなく、私たちは入り口からすぐの広い応接室に通された。その革のソファの座り心地もどこかで知っている気がするんだけれど、気のせいだろうか、と私は首をかしげた。とても重い気持ちでここに座ったことが、あるようなないような。心もとない感じがじわっと口の中に昇ってきた。

私もやはり予想通り、しばらくの期間ここにいたことがあるんだろうか？　それともママから聞いたことが現実と混じってしまっている？　それともママと院長が逢うときについていてきていただけなの？

記憶があまりにもあいまいなのに驚いて私は思い出そうとした。でもどうしても思い出せなかった。これがトラウマというものなのかしら？　こんなに記憶がないままで生きてきて大丈夫だったのかしら？　と愕然としながら。

心細くなるのが嫌いな私は「まあいいや、別に支障はないもの」とすぐ割り切った。今は昇一といっしょにいるし、彼は大事なことはなんでも覚えているみたいだし。これからも私が忘れてしまっても覚えていてくれそうだし。

そんなことをしているうちに、目の前には事務員らしきお嬢さんがやってきて白いカップに入った紅茶が出された。そこには数枚の高級なクッキーが添えられていた。昇一は感慨深げに建物をじっと見ていた。

そうだろうな、と私は思った。おばさまはここで思春期の時代をしばらく過ごし、この中庭で外の世界を夢見たのだ。この場所は行き届いているしお金もかかっているけれど、私たちの知っている時代の強かったおばさまには全くそぐわなかった。彼女がここにいたことがとても信じられない、私もそう思っていた。

黙っていても私には昇一の気持ちがわかったし、昇一もそうだっただろうと思う。ソファが狭くて、わずかに膝のあたりが触れ合っていた。そのあたたかさをお互いに心の中で支えにしていることまで伝わってきた。防音ガラスに守られたこの建物の異様な静けさの中で豊かなものは中庭の緑とそのぬくもりだけだった。

そのとき私たちはできることならずっとそのままでいたかった。寄り添い合う子供の気持ちで、そのままで。幸せだった頃みたいにそうやって、他のことを一切考えないで。昇一の横顔を見上げたら、昇一は私の目を見て黙ってうなずいた。そう、ここでうなずいてほしかったんだ、と満足した私は紅茶をひと口飲んで、心の中があたたまるのを感じていた。この沈黙の時間がずっと続いたらどんなにいいだろう。

でもそうもいかず、やがてノックの音がして中年の女性が入ってきた。

その顔を見て私は思った。あれ？　この人はうちのお手伝いさんじゃなかったっけ、しかも降霊会から逃げ出して助かった人じゃなかった？　ここの看護師さんやお医者さんではなかったような気がするんだけれど。記憶の中の顔をたどろうとしてもぼんやりとかすんでなにも見えなくなった。

私の受けたショックの大きさが、こういうときにだけわかるのだ。なるべく人ごとのように箱に押し込めようとしていたのに、記憶の欠如が巨大な落とし穴みたいに胸の中にいすわっている。

あたりまえだよ、だってママがパパを殺したんだよ、そんなのなかなかないことだし、とこれまで何回もしてきたのと同じように、自分をよしよし、と慰めた。

「私は副院長の小島です。当時は看護師をしておりました。あなたたち、それぞれのお母さまに似ていらっしゃる。おふたりもなんとなく似ているわね。」

彼女は言った。

「ごめんなさい、私と院長以外にはもうその頃のものがひとりもいないんですよ。私、院長とつい呼んでしまうんですけれど、当時の院長はご高齢なので現場からは引退して顧問になられています。このクリニックは息子さんがついでおられるんですが、今日は学会があってたまたまお留守なんです。」

「いえいえ、亡くなった母が過ごした場所をたずねることができただけで、幸せです。それだけが目的でしたから。」

昇一は言った。

「今、母のゆかりの土地を、いとこといっしょにめぐっているんです。」

うそではないのだが、なんともまあ上手な言い回しだな、と私は思った。

小島という人は、背筋をまっすぐにのばしたままうなずいた。

「お悔やみ申し上げます。あの双子の協力体制はすごいものだったね、と院長は今でもよくお母さまたちの話をしますよ。あら、また院長と言ってしまいましたけれど。ここは若い人が来ることが少ないクリニックだし、長くいる方が多いので、意外に人の出入りは少ないのです。だからというのもあって、彼女たちのことは印象に残っています。私も院長もまだ若かったですし。」

あれ？　やはりこの人はここの人で、降霊会に出ていた人とは違うんだ、ほんとうに記憶がぐちゃぐちゃに混じっていて、なんともおかしなことになっているんだ、と私は思った。でもそれはそんなにこわいことではなく、自分がばらばらになって消えていくような甘美なそして自由な感じだった。

「私、ここに来たときどんなようすでしたか？　あまり記憶がないんです。」

私はかまをかけて言った。

「ああ、そうですね。高橋さんのお母さまはもうここを出てからいらっしゃることはなかったけれど、由美子さんのお母さまは、院長と個人的に親しくされていたから、何回も立ち寄られましたし、由美子さんを連れていらしたこともありましたよね。おふたりが話されているあいだ、いつもあなたは退屈して庭を散歩していたので、あまりお話しなかったけれど、聡明そうなお嬢さんだなって思ったので、印象は強く残っていますよ。すっかり大人になられて。」

小島さんは笑顔で言った。

やはり、私はここには入っていなかったのか、とうそをついている様子のない小島さんを見てしみじみと思った。いったいどうなっていたんだろう、その期間の私は。なにも浮かんでこなかったし、なにもなかったような気さえしてきた。

「由美子さんのお母さまの事件があってから、院長もすっかり元気をなくされてね。」

どれだけオブラートにくるんだ言い方なのだろう、と笑い出したくなったが、院長とママに関してはもう知らないものがいないくらいの露骨なつきあい方だったので、かえってみんな言いにくいだろうな、と思った。私と昇一の母親たちはある意味では、ここの院長の人生をめちゃくちゃにしてしまったのかもしれない人たちなのだし。

そういえば、そうだった。私の中で苦い味の記憶が少しずつよみがえってきた。ここに関してママから聞いた話だった。生々しく覚えていた。

ママが、同じ患者さんでも小島さんと気安く話をして楽しそうにしている人がいて、自分は距離をおかれていることに傷ついたと言っていたのも思い出した。

おばさまはそういうことを全く気にしないし気にならないタイプの人だったが、ママは自分がはれものに触るように扱われたことがすごく気になったと言っていた。そんなことが心の奥に自分を汚いものとして扱われたような痛いものとして残っていた。そんな目で見られ続けたら、そんなふうに表面的に接されたら、とても痛い、ここには人間同士の関係はないんだ、当時のママはそう思って、若き小島さんを憎く思ったそうだ。

やはりママは極端に繊細な人だったのだと思う。

「うちの母は、おばさまに比べて問題が多いように見えましたか？」

私はたずねた。

「つまり、あんなことをしでかしてしまうくらいに。」

小島さんはうーん、と言って、首をかしげた。

「なにっていうのではないけれど、ふたりとも口をきかなくても決してつらそうではなくて、いつもふたりだけの世界にいましたね。触ると切れそうな敏感な感じでしたね。

もちろんここに来る人にそういうことは珍しくないのですが、空気がゆがむくらいにぴりぴりしたものがありました。同じことを経験して今元気でおられる由美子さんにこういうことを申し上げるのもなんですけれどね、子供の頃にそんなものを味わって、なにごともなく成長していくのはとてもむつかしいことだと思いますよ。

無言でいてもお母さまたちには、なにかと戦っているみたいな底知れない苦しみが宿っているように感じられて、でもどこかがとても強くて、ずっと気を許さずに心を閉ざしたままで、私は正直に言うとお母さまたちがだんだんこわくなってきたんですね。

あとでお母さまが起こしたあの事件のことを知って、はじめに浮かんだのは、正直に言うと、由美子さんのお母さまのほうではなかったのです。ごめんなさい。由美子さんのお母さまのほうがずうっとおとなしく、優しくて、気が弱い面を見せてくれていました。高橋さんのお母さまはいつでも人を操ったり……言い方は悪いですが、そういうことをして、院長と看護師さんたちをケンカさせたり、わざとそういう技を見せて人を思い通りにしてみせて、それを娯楽みたいにして、由美子さんのお母さまをなぐさめたりしていました。あの人にはなにかカリスマ的な魅力があったんです。私はこわくって彼女の目をまっすぐに見ることができませんでした。

そして彼女は由美子さんのお母さまだけをいつも優しくかばっていました。まるで由美子さんのお母さまのほうが、子供みたいな感じで。高橋さんを見ても思うのですが、こんなこととといっしょにお話するのもなんですし立ち入ったことだというのはわかっていますが、高橋さんのお母さまは、保護したり、育てたりするのがとてもうまい人だと思いました。

高橋さんのお母さまがひとたび怒ると、もうだれとも口をきかなくなり、自分の中に閉じこもってしまうのですが、それを由美子さんのお母さまが悲しく思って、周囲にとりなしたりするのもよくあることでした。高橋さんのお母さまは、どんなときでも由美子さんのお母さまの言うことだけはまじめに聞いたのです。あとはどちらかというとシニカルで、突っ張っているというよりは、悪ふざけしているような感じに見えました。」

ママの話と、この場所の印象がそうとう違うのが不思議だった。こんなにちゃんと見ている人がいる、まともな場所にいたとは。ここのことを話すとき、ママはあまりまばたきをしないので恐ろしかった。

まだ幼い私に向かって、ママはたまに突然語り出したものだった。

「ママとおばさまはね、いっとき、とんでもない場所にいたのよ。由美ちゃんもたまに会うことがある、ママのお友達のあのおじいさんの病院だったんだけれど。そこにいなかったら、きっともっとひどいことになっていたんだけれど、自由がないっていうのは、つらいことだった。お天気や体の調子でふとあの頃のことを思い出すと、こうやって話さずにはいられなくなるし、体が緊張してぐっとかたくなるのがわかるの。」

そんなふうにいつもママは私に言った。

「ほんとうに地獄みたいだったわ。たとえあそこを出ても、もう自分の家はないわけだし……いてもたってもいられないくらいいがいがした気持ちと、どうしようもないあきらめが交互に襲ってきて、いくら寝ても怖い夢を見るので休むことはできず、かといって寝ないで朝を迎えてもなにも楽しいことは待っていなかったのよ。自分の枕から苦しみのすえた匂いが立ち上ってきて、窓からの光もちっとも救いにはならなくって、しょぼしょぼした目を痛めつけるだけだったの。今日もまた薬漬けのだるい一日の地獄が始まると全身が叫んでいた。

でも、敦子おばさまは、全く同じ状態にあるはずなのに、どうしてだかいつでも涼しい顔をして、余裕があるように見えた。そんな敦子おばさまの底知れない強さが本気で怖くて、双子なのにとっても遠く感じたのよ。今でもあそこにいる夢を見て、飛び起きてしまうことがあるの。目が覚めてぱっと見たとき、窓に格子がないとほっとする。」

ママはうわごとみたいにそんなことを言い続けた。

私はその話の暗さにただおびえながら、聞いてあげていた。ママは時々そんなふうにうわごとみたいにしゃべりだすことがあって、遠くに行ってしまうように感じた。そんなときにママの手をぎゅっと握ると、さりげなくふりほどかれたのが悲しかったことも覚えている。

でも、ここは思ったよりもずっと落ち着いた場所で、私も来たことがあるみたいだし、院長に逢うためとは言っても、ママもそのあと訪れているではないか、とあらためて思った。

ここにいた頃のママの心の風景が荒れていたというのもあるし、おばさまがママを囲い込んで、この人たちに心を開かせないようにしていたのかもしれない。私が小さい頃はまだここの記憶が生々しすぎたのか……おかしくなってからのママのほうがある意味では強かったのかもしれないし、そういう鈍い強さをママが積極的に求めていたというのもあるだろう。

見ると小島さんは涙を流していた。そして私の手を握った。

よく働いている、がさがさしているのになめらかに動く手だった。下半身がどっしりとして目尻にしわがたくさんある、普通のおばさんだ。日々の生活をして人の世話をしている大人の女性の感触は私にとってなじみのないものだった。

「あなたのお母さまのこと、ずっと、とてもとても悔いていました。いくらもう退院された方だとはいえ、もっと院長に提言すればよかったなあって。様子はどうですか、不安定なところはないですか、って。」

小島さんは言った。

いいえ、きっともうここに入った時点で種はまかれていて、なにもかも遅かったんです、と言いたかったけれど、わけのわからない涙が出てきて、なにも言えなかった。

昇一は黙っていた。黙っていてくれることも今の私にはありがたかった。過去にゆかりのある場所をたずねて泣いているなんて、恥ずかしすぎる。

「昇ちゃん、ごめんね。おばさまのことゆっくり聞いて。少し庭を散歩してくるね。」

私は言って、立ち上がった。少女に戻ったような変な感じがした。目を落とすと大人の女の足があって、不思議だった。こんなに育っても芯のところは変わらないなんて。

「いいんだよ、君のための旅なんだから。」

昇一は言った。よくできたいとこだなあ、と私はまたも思った。

庭に出る重いドアを押し開けたとき、ああ、そうだ、このドアの感じだと私は思い出した。私もこの庭に来たことがあるし、ママの唯一の生きがいはおばさまでも院長でも小島さんでももちろんなくて、この庭の植物や蟻や毛虫たちだったという話も聞いたことがあるではないか。

後年、ママは忙しくなってうちの庭にも全く出なくなってしまったけれど、当時の幼いママは庭に唯一の安らぎを見いだしていたのだった。私は、ママからここの庭の話を聞くのが好きだった。悲しい話だったけれど、ママの中のいちばんかわいいものがその話の中にはよくにじみでていた。

ママはここで、昨日小さな芽が出ていた場所がある日ぐっとふくらんではちきれそうになっていたり、つるが四方八方に伸びていったり、蟻がただひたすらにお菓子のかけらを運んだり死んだ虫を大勢で運んでいるのを飽きることなく見つめていたそうだった。その中では時間は大きくひきのばされ、情のようなものが一切なくただ命だけがあるので、ママはよけいなものを見なくてすんだ。近すぎて逃げることができない同じ顔のおばさまさえも見なくてすんだのが、ほとんど個人というものがなくておばさまの影の中にいたママにとって唯一の解放の時間だった、とママは子供みたいな顔をして言っていた。毛虫が毎日たくさん食べて、食べて、だんだん大きくなっているところを見ているると、生きていてもいいなと思ったと。それらは毎日場所を変え、姿を変え、うつろっていった。空や雲は大きすぎてそのときの縮こまったママの心にはうつらなかった。小さいものがうごめくさまだけが、心にあかりを灯したのだと、ママはよく言っていた。だから自分の家の庭も、なるべく手を入れすぎずにいろいろな植物が伸びて行くさまや枯れていくさま、そこに住むいろいろな生き物を見ることができるように、あまり作り込まないようにお願いした、と。実際家を建てたばかりの頃は、帽子をかぶってしょっちゅう庭に散歩に出ていたし、私もいっしょに歩いた記憶がある。

そんなママの気持ちなら、多少ゆがんでいてもまだわかるような気がした。少なくとも最後のほうのママよりは、そのときの弱くか細いママの気持ちのほうが近しい。ママが庭の小さい命にひきつけられていた時期があったことは、なによりも私をほっとさせた。

私は庭の空気をいっぱいに吸い込んだ。

ただいま、お久しぶり。昔はママを助けてくれてありがとう。どんなに感謝してもしきれない。だって、私がママから聞いた話でいちばん大事に思っている話はこの庭の話なんだもの。ママが私に人間的な弱さを見せてくれたのは、この場所のことだけだったし。

そんなことをつぶやいてみても、庭はただもくもくと今日も続いている営みを見せてくれるだけだった。いるだけでこんなにたくさんのものを見せてもらえるなんて、なんとすごいことなんだろう、と私は思った。いくつかの葉は色づき、梅はほとんど枯れたように見えるけれど、これからつぼみをつくる準備をしている。春には花でいっぱいになるであろう大きな桜の枝も、ただじっと力をためて枝を伸ばしている。

ここではずっと続いている幾億の動きがある。そして意識をしないだけで、私の中でもきっと常にこのような動きがあって、それの似姿を見ているからこそ、ここでくつろぎを感じるのだろう。ここにいると、時代を超えてママとひとつになったようで切なかった。その感触はほの温かく、生きているあいだにそんなふうにママを近しく感じられたらどんなによかっただろうと思った。

いつまでもなごりを惜しんでいたかったけれど、振り向くと窓越しに昇一が小島さんと話しているようすが見えた。

今いっしょにいる人があることが、いつもひとりで行動している私を和ませた。となりにいる人にちょっとしたことをその場でしゃべれるのはいい。そう思った。

これからふたりでぼんやりと帰っていく、なんの利害関係もかけひきもなく、きっと熱いコーヒーや甘いお菓子を求めて、喫茶店に行って、くりかえししゃべったりだまったりをするのだろう。温かいお店の中で。

そう思うだけで、ほっとした。ここに抱いていた殺伐とした気持ちはすっかり遠のいていた。

ママの痛い話や私がここでつまらなく過ごしたかもしれない思い出にこの思い出が上

書きされたことで、過去がほんの少し変わる。

それでまた少し明るい気持ちになることができた。小さい女の子がシロツメクサで指輪を作っているみたいに、私は今、ただかわいい気持ちで一日を作っている、そんな夢を見ることができた。


「昇一、なんでそんなに優しいの？」

クリニックを後にして歩き始めたとき、私は聞いた。

「あそこに行って、ショックを受けるのは記憶があいまいな私よりもむしろ昇ちゃんだったのに、たずねたりして。その上、私にずっと優しくしてくれて。ごめんなさい、おばさまのイメージが私の中でまた少し変わったわ。強い人だとは思っていたけれど、あんなふうに暗くてエキセントリックな時期もあったのね。」

夕方近い住宅街にはほとんど人がいなかった。このあたりは高級住宅街で、歩いておつかいに出かける主婦はほとんどいない。子供たちはもうとっくに家に帰って静かに宿題かゲームでもしているのだろう。それだけ静かなのにそれぞれの家からは人が過ごしている温かい気配が漂ってきていた。

「それは、今回は君に親切にする旅をすると決めてしてるからだろうな。それにさ、人間っていろんな性格があるし、いろんな時期があるじゃない。君の言う通り、おふくろは強い人だったから、思春期はさぞかしこじれただろうなと想像はつくよ。」

昇一は言い、そして笑った。

「でもさ、あんなにこじれてたとは思わなかったな。新たにショックを受けたよ。あれじゃあほんとうに単なる悪い人じゃないか。」

「きっと、知るのは悪いことじゃないのよ。だって人間なんだし、ずっと大人だったわけじゃないし、いろいろな面があるわけだし。むしろあなたによい面を見せようとしてくれたところをわかってあげるべきじゃないかな。」

私は言った。

「いろいろありがとう、昇ちゃん。ねえ、もしも自分のほんとうの彼女とか奥さんにいつもそんなふうに優しくしてあげられたら、どんなにかみんないい気持ちで暮らせるでしょうね。いつでも優しさをかえしてもらえるでしょうね。」

私は言った。

「そうはいかないから、うまくいかないんでしょうけどね。」

昇一は笑った。

「そんなことしていられないからなあ、仕事もあるし。」

「そうだよね、私もそう思う。」

　私は言った。

「ママは昔、あの建物の中にいたとき、気持ちを外に出すのがうまくいかなくなっていて、言葉と行動と頭の中がばらばらだった時期があったって言っていたの。私、そんなことをほとんど忘れていたけれど、ママがつらい過去を私と分かち合おうとしてくれた時期もあったのよね。今日は、よかった頃のママの言っていたことを、久しぶりにたくさん思い出した。思い出すことができただけでも、よかったと思う。」

「それなら、行ったかいがあったよ。それに、おふくろもそうだったらしいって、さっき小島さんが言っていたなあ。ふたりはあそこにいる間、お互い以外の他の人たちにはほとんどなにもしゃべらなかったらしいし、そんなであってもどうもおふくろのほうがいろんな意味で一枚上手というか、全員を合わせたよりも強いというか、なんとも言えないそういう人間だったんだなあ。うすうすはわかっていたけれど。」

　昇一が言った。

「きっとあの中にいるとき、おばさまは強く思ったの。外に出たら、親切な人になろうって。もういやな人でいるのには飽きたって。きっとおばさまは、一回転して悟ったんじゃないかな、力を手に入れるなんてつまんないって。そしてうちのママはおばさまをねたんだり、うらやましく思って、とにかくおばさまみたいに強くなりたかったんじゃない？」

私は言った。

「なんで君のお母さんは、そんなことに憧れたんだろう。」

昇一は言った。

「もちろん、当時のおふくろがどんなだったか、はっきりとは見えてこないけど。」

「まあ、特殊な経験をどう処理するかは人それぞれで、おばさまもいっしょうけんめいだったんじゃない？　ママは単純に強さというものにひきつけられただけだと思うな。」

私は言った。

昇一はうなずいて、答えた。

「人間は、毎日いろいろな気持ちがあって、いらいらしたり、変な人間に見えたり、でもよく見ると大丈夫だったりしているものじゃないか。一貫性はそれほど求められてないような気がする。だからこそ、底のところでは一貫性が絶対必要だけれど。でもそれだって、意識してあるものじゃないだろう。強い人がいつも強いっていうこともないよ。僕だっておふくろの弱いところをたくさん知っているし。」

「じゃあ、私も自分に一貫性を求めすぎているのかもしれないな。おばさまは基本的に強い人だったとは思うけれど、家族に弱さを見せられるくらい、幸せになっていたんじゃない？　確かに矛盾がない人はいないからなあ。まあ、それに、うちのママは私の知っている限りでは、悪い意味であまりにも一貫していたからなあ。」

私は言った。

「だから、あんなことになってしまったんじゃないの？　無理がたたって。君のお母さんは、固くて全然しならない枝のようなイメージがあるよ。俺の中で。押してもひいても動かない丸太みたいな、そういう感じかな。うちのおふくろのほうが、そういう意味では人間的であるのと同時に、最後までどこかしら魔女っぽかったな。なにか秘めているのは丸わかりという感じだったな。」

昇一は言った。

「ママはそれからも、どんどん固くなっていったのよ。」

私は言った。

「じゃあ、君はどんどん柔らかくならないとね。」

昇一は言った。

「もう遅いのよ。」

どうして私の口からそんな悲しい言葉が出たのかわからないけれど、そう言ってしまった。それを聞いた昇一はとても悲しい顔をして、私は少し後悔したし、自分の言葉にびっくりした。自分たちのシルエットが夕闇にとけはじめる時間だからだったのだろうか。

「なんでそんなこと言うんだ？　遅くない、遅くはないよ。だって今君はここにいるんだから。」

昇一は言った。

私は黙って昇一の腕に腕をからめて、もたれるようにして歩き続けた。ひとりでは立っていられないような弱い気持ちになったのは、彼のその言葉を聞いてからだった。駐車場までの道はとても長く、悪い夢の中で目的なく歩き続けているようにぼんやりと手ごたえなく感じられた。もがいてももがいても出られない深い水の底にいるみたいな気持ち……これが過去に向き合ったあとの気分か、と私は思った。こんなときも必ず過ぎて行くことを知っていたのでそんなに苦しくはなかったけれど、昇一の腕が永遠の恋人や親のようにあたたかいことが、私をかえって弱くさせた。

「でも、思ったよりもまじめで人間くさい施設だったことがわかって、よかった。当時はいやらしくて人として最低の院長とか意地悪な看護師が鼻持ちならないお金持ち病の人たちを隔離している、非人間的な施設だと思っていたんだ。」

「そこまで言うのか。」

昇一はげらげら笑った。

「ママからは悪い話しか聞いていなかったし、院長はうちのママとずうっとできていたし。お金もずいぶんくれたんじゃないかなあ。パパはふたりの関係を見て見ぬふりをしていてさ、その全部の雰囲気がいやらしいったらありゃしない……って思っていたのよ。」

私は続けた。

「そういうクリニックにはあんまり見えなかったけどなあ。」

「でしょう？　だから思ったより普通のクリニックで私は驚いたんだけれど。少しは大人になったっていうことかな。」

「院長ももういなかったようだしね。」

「あいつがいたら、絞め殺していたかも。」

私は笑った。

「生理的に耐えられなかったんだ、潔癖な年頃の私には。私いつだってパパッ子だったしね。」

「今見ると案外なんでもない、ただのおじいさんだったりするかもね。ああいうところでは権力のある人が異様にでっかく見えるから。」

昇一は言った。

「そうかもね。まあ、いいのよ。きっと彼とママはそれなりに本気でつきあっていたんだし、パパは気が弱くてとにかくママの言うなりで、いつもつくしていたし……結局みんなママの奴隷だったんだよね。話を聞いていると、そういうあくどいキャラクターはみんなおばさまのものなのに、あそこを出たら現実の世界の中ではママとおばさまが逆転してしまったのね。でも、現実の中ではいろんなことがシャレにならなくって、賢いおばさまには、そんなこともわかっていたんでしょうね。魔女をそのまんまできるのは小さいクリニックの世界だけだって。でもね、いいの、みんな過ぎたことだし。」

そんなことを言いながら歩いていると、次第に駅に近づき人通りが多くなってきた。こんなふうに過ごしていると今までもこれからもこんな生活をしてきたような錯覚をする。錯覚だとわかっているから幸せを感じる。

「母親を理想化しているつもりはなかったし、底知れないところがあるとは思っていたけれど、君のお母さんにもかなり圧力をかけちゃったんだろうね、うちのおふくろ。」

昇一は言った。

「でも、その時期をしっかり過ごして通り抜けたからこそ、うちのママみたいに人を殺さなくてよかったんじゃないかなあ。変な家に育って人が死ぬのを見たりしたら、だれかになにかしらしわよせはいくわよ。」

私は言った。

「君、よくそんなことが言えるなあ。だれかになにかしらって、そんなさっぱりとさ。あんなすごいことがあったのに。それに、しわよせがいっているのは君も同じじゃないか。」

昇一は言った。

「だって、私、バカなんだもの。過ぎたことはもうしかたないってほんとうに思ってるんだもの。どこかにひずみがあればそれが現実のどこかに出てきてしまうってこと。それに、認めたくないけれど、最後のほうのママは完全に頭がおかしくなっていたんだもの。おかしくなかったら人なんて殺せない。」

私は言った。

「バカじゃないよ、だから君の優しい心に、ずっとめちゃくちゃ負担がかかったままなんじゃないか？　わかるからって、君はわかってあげすぎなんだよ。」

昇一は言った。

「うちのおふくろがなにをどう後悔して、君をどういうふうに心配していたか、やっとわかってきたよ。君と過ごしていたら。」

「私はもういいの、だってほんとうに取り返しがつかないんだもの。ところで、今日はどこに泊まることになったんだっけ？」

私は言った。

「渋谷。」

昇一は言った。

「それって大きいホテル？　ラウンジはある？」

私は言った。

「確かあるよ。」

昇一は言った。

「いいね、いいね。ロビーでお茶しましょうよ。ホテルのラウンジって大好き。どの国でもずっと入っていけて、いろいろな人を眺めることができるから。」

私は言った。

「よかった、笑った。」

昇一は言った。

「あのね、いつまでも沈んでいたいときもあるけど、今は、そんな時間がもったいないよ。だって、毎日泣いてばかりいて、見つけることがいっぱいあって、新鮮なんだもの。昇ちゃんの行動力に守られているから、他のことを考えなくていいんだもの。」

私は言った。

「君は、悲しくならないようにする天才だね。」

昇一は言った。

「ごまかしの天才なのよ。」

私は笑った。

「いや、幸せの魔女だよ。」

昇一は真顔でそう言った。私は嬉しかった。

夜、食事を終えてそれぞれの部屋に戻ってくつろいでいたら、名刺を置いてきた昇一経由で、今は顧問になっているという例の院長から私あてにメールが来ているという電話がかかってきた。

昇一の部屋をたずねて見せてもらいながら、私は、もしかして院長はあの場所の近くにいたのではないか、私に会うのがこわかったので小島さんにうまくとりはからってもらったのではないかな、と思った。

「私の頭の中のあなたは、まだ少女です。

あなたのことを思うと、自分の力不足を感じ、ずっと心の奥にひっかかった存在でした。たずねてこられたことを聞き、感無量です。

こんなことを言うべきではないとはわかっておりますが、私は私なりに、お母さまのことを心底想っていたのです。そしてそのことでずいぶん悩みもしました。あんな結果になってしまい、私の人生も大きく変わりました。もっと言うべきでないことですが、私は今でもたまにむしょうに、あなたのお母さまに会いたいと思うことがあります。

あなたはずいぶんと大人になられ、しっかりしていたと小島から聞きました。頼もしいことです。どうかお元気で。」

メールには、そんなことが書いてあった。

やっぱりこの人が嫌い、そう私は思った。その中心にあるのはずっと、ただ生活を保つこと。なるべくリスクを負わないこと。でも許せない、ママなんていなかったみたいに、なにごともなかったみたいにこんなに長く生きているなんて。

「だからこいつが嫌いなんだよ。」

と私が悪態をついたら、昇一が不思議そうに、

「まともなメールじゃない。」

と言った。

「そりゃあ、まともじゃなくちゃ、クリニックなんてできないよ。でもね、だいたい医者のくせに、患者に手を出しているのが最低だし、仕事の時間内にアポを取って愛人と会っているのも最悪だと思う。それだけでもう私はいや。」

「そうだよね……そういう全てが、忙しくて時間のない、お金持ちの世界っぽいよね。」

昇一は言った。

「お金持ちのための、つごうが悪いことがあったときのかけこみ寺みたいなところだからなあ、言い方は悪いけれど。もはや社会的にどういう意義があってやっているとかではないんだろうね。でもさ、この話になると君が急に子供っぽくなるから、なんだかかわいいんだよね、正直言って。潔癖というか、子供みたいで。」

昇一が笑ったので、私は少し恥ずかしくなった。

「確かに、このことでは時間が止まっているかも。だっていちばん助けられる立場にいたのは、私とパパ以外にはきっとこの人のはずでしょ？　精神のことだったら専門なはずでしょ？　でもなにもできなかった人でしょ？　だからかもしれないな。」

私は言った。

「それにさ、みんな死んでしまったから、この人しか恨むべき人がいないっていうのもあるけど。おじさんたちはうちのママに殺されかけた被害者だから今ひとつ憎みきれないからさ、はけ口がないんだよね、あはは。」

笑ったものの、まだ苦い感じは残っていた。あそこにいたときのママとおばさまの気持ちの重さがいつのまにか乗り移ってきたかのようだった。

それでもあの場所を離れ、ホテルのロビーで軽くごはんを食べ、お茶を飲んで、いろいろな人を見たり、甘いものを食べたりしているうちに、ずいぶんと気がまぎれたのは確かだった。

「メール、見せてくれてありがとう、部屋に帰るね。今日は疲れたし、早く寝ようっと。だって、明日はうちに行くんでしょ？」

私は言った。

「バブルバスにでも入って、せめて豪華なホテルに泊まっている気持ちを味わおうっと。」

「もうちょっとここにいたら。」

昇一は言った。私はおっと、と思った。

「どうして？」

私は言った。

「なんだか淋しそうに見えるから。」

昇一は言った。おっとっと、と私は思った。

「困ったな。」

私は言った。

「こういうとき、普通だったら困ったな、って言わないんだけれど。」

「それは、普段はよくできたお芝居の中にいるからでしょう。」

昇一は言った。

この人、頭がよくっていやだなあ、と私は思った。

「他意はないよ、ただもう少ししゃべっていたいだけ。ああ、淋しいのは僕のほうかもしれない。」

「うん、それならいいよ。」

私は言って、すわりなおした。

「今日、思ったことがあるんだけれど、君、やっぱりあのクリニックに暮らしたことは一度もないよ。行ったことはあるかもしれないけれど。」

昇一は言った。

「やはりそう思う？　私もそう結論を出したの。」

私は言った。

「なんていうのかな、体の動きが、違うような気がして。住んだことのあるところにいる人のものではなかったというのかなあ。」

昇一は言った。

「どうして、そんなことがわかるの？」

私は言った。

「武道をやっていたから。人の体の動きに関しては、なんとなくわかることが多いんだ。」

昇一は言った。

「じゃあ、どうして私は明らかにあそこや小島さんっていう人を知っているの？」

私は混乱しながら言った。

「記憶が、あいまいなのは確かなんだけれど、それは、あそこにいたあいだ、ずっと薬でぼうっとしていたからかと思っていた。」

「行ったことが、ないところだとは思ってないんだ。」

昇一は言った。

「さっき小島さんが言っていたように、君のお母さんが院長の恋人だったから、行ったことは確かにあるんだと思うよ。でも、小島さんが嘘をついている感じも同じくしなかった。君は、あそこに住んでいたことは一度もないんだ。」

「私の記憶がいろんなものと混じっているのかしら。」

私は言った。

「別にいいけど。」

昇一はぷっと笑った。

「なんでそこで投げ出すのさ。いちばん大事なところなんじゃないの？」

「だって、なにより今目の前のことが大事だもの。そこが落ち着いていれば、あとは気にならないの。気にしていたらきりがない人生なんだもの。」

私は微笑んだ。

「昇ちゃんは？　おばさまについて話を聞いたショックは落ち着いた？」

「うん、僕の知っているおふくろの様子とはずいぶん違っていたけれど、どこかで予想はしていたから。」

昇一は言った。

「人は環境で変わることができるんだね。」

私は言った。

「元は双子の魔女だったのに、亡くなるときは良き母親なんて。いいなあ……。」

「それもほんとうのことすぎて、何回聞いても、なんと言っていいかわからないよ。」

昇一は言った。

「君を長い間放っておいて、ほんとうにすまなかったと思う。」

「あなたには何の責任もないわよ。」

私は言った。

「でも、ほんとうにそう思うんだ。とりかえしのつかないことをしてしまったって。きっと僕にもできることがあったはずなんだって。僕だってあの院長とあまり変わらないよ。君のことを、君についての全てを、人ごとみたいにずっと思っていたんだから。」

昇一は言った。

「じゃあ、今すぐに結婚して、いっしょに良き家庭を作ってくれる？　子供も三人は産みたいな。」

私は言った。

「いいよ。」

昇一は言った。

「僕のしたことは、そのくらいすべきくらい、ひどいことなんだ。」

「そんなことないわよ。」

私は笑った。

「だって、もう全ては終わったんだもの。ほんとうにとりかえしはつかないのよ。」

「知らなかったんだ。」

昇一は言った。

「君はどこか親戚の家に引き取られて、安全に裕福に暮らしているっていうイメージがあったんだ。そう思った方が楽だというのもあったかもしれない。コナミヤはずっと安泰だから、そう信じて疑わなかったんだ。でもおふくろは実はそう思っていなかった。だから悔いていたんだ。そのギャップも今となっては僕が自分自身で埋めるべきものだったって思っているんだ。君が納得いかなく生きていたら、それはおふくろや僕の人生に影響しないわけがないんだ。ほんとうの意味で、人生はかなり厳密なんだ。人ごとではないんだよ。あの日、あの庭でいろいろなものを共有していたのに。あの日のことは、よく思い出していたんだ。会えなくなってからも。」

「私も覚えてるよ、ほら。」

私はカバンの中から、小さな袋を取り出した。

「あの日、庭で見つけた小さな、カッパみたいな像。覚えてる?」

私はそれを絹の布に包んで布袋の中に入れ、しまっていつも持って歩いていた。座って膝を抱えて首をかしげていて、目は大きく、くちばしみたいなものがある。

もともとは中国で見つかったものだ、とおばさまは言っていた。おばさまはそれを自分の魔術の師である華僑の人からもらったのだけれど、いつのまにかなくしてしまって悲しく思っていたそうだ。私が庭のすみっこでこれを見つけて持って行くと、おばさまは微笑んでこう言った。

「これはとても大切にしていたものなの。見つけてくれてありがとう。きっとこの子はあなたのところに行きたかったのね。あずかってもらってもいい？　これを持っているときっといいことがたくさんあるわよ。土がついているから磨いてくるね。」

そう言って、おばさまはこれを磨きあげて、中に連絡先の紙を入れてくれたのだった。

私はそれをずっと大事に持ったままでいた。もちろん私の人生はそれから複雑にねじまがってしまったから、中から紙を取り出しておばさまに連絡をすることはなかったけれど、それでも大事にしていた。さびないようにしょっちゅう磨いて、案外重いのに、どんなときもかばんに入れて持って歩いていたし、旅先の慣れない場所で寝るときは枕元に置いたりした。

「おふくろもいい加減なこと言うなあ。」

昇一は言った。

「君がこれを見つけておふくろにほめられているとき、すごくうらやましく思ったよ。でも、あまり表情を出さない君が珍しく嬉しそうに笑っていたから、子供心にもゆずってあげなくちゃって思ったんだ。」

「あはは、そうだよ。昇ちゃんはなんでも持っていたんだから、なにも持ってなかった私にこのくらいはゆずるべきだよ。でもこれ、昇ちゃんに返そうか？　おばさまの思い出につながるものだしね。私はお守りがわりに充分いっしょに過ごしてきたから、もういいよ。」

私は言った。

「ううん、持っていて、もうそれはすっかり君のものだし。うらやましかったのは、あくまで子供のときのことだからね。」

昇一は言った。

私は別のことを考えていた。

だとしたら、両親が死んだ日からしばらく、実際には私はどこにいたんだろう？

「昇ちゃん、あの事件って、何年くらい前だったっけ？　私はいくつくらいだったっけ？」

私は言った。

「十三歳か十四歳ではなかっただろうか。今回のことで当時の新聞を見たりしたから、間違いないと思うなあ。おふくろが沈みこんで寝込んでしまい、たいへんだったのも覚えているし。」

昇一は言った。

「自分がいたら、何かできることはあったんじゃないかって。そしてまわりの人たちはみんなおふくろに、もしもまだ関わっていたらあなたも死んだかもしれない、生きていてよかったじゃないかって言い続けた。それでも、やはりおふくろの人生はあのあと決定的に変わってしまったと思う。おふくろはいっそう日常のことに気をゆるめず精進するようになったし、おやじが死んでもあまり変わらずに、毎日のことをひたすらにやり続けた。」

「そうか……十四歳くらいか。」

私は言った。

「君の、フィレンツェの後見人っていうのは、いくつぐらいからの知り合いなの？」

昇一は言った。

「私がだいたい十歳くらいからだったよ。」

私は言った。

「おばあちゃんがトリノにいたときに友達になった人の関係で、そのおうちと行き来があったのね。私が十歳のときに十八歳で、初恋の人でもあったんだ。子供のくせに、お互いにひとめ惚れしちゃって。今もとぎれないでなにかと面倒を見てもらっている。彼はお金持ちだけれど地味な人で、他に遊び以外のガールフレンドはいないと思うんだけれど、結婚もしていないしね。もう家族か保護者みたいな感じのおつきあいよ。

　彼の実家は大きなオリーブの農園を持っていて、お金に困ることはないんだ。いまや親戚の家みたいに、私は思っているの。でもね、なによりもイタリアに行くと、息がつけるのよ。田舎だから時間が流れていないみたいで、なにも変わらないし。自分の家以上になじんでいた家だし、自然に囲まれているし。」

「そうか……。」

　昇一は言った。

「あの事件のときも、翌日から彼のところに夏休みを利用して、はじめてひとりで滞在しようとしていたときだった。楽しみにしていたのがいっぺんに壊れてしまった、そういうときだったように思う。きっと彼も会いに来てくれたのだろうけれど、覚えていないし、あの頃のことは話題に出ることはない。」

私は言った。

「そのままでなかったことにできたら、どんなにいいんだろうね。」

昇一は言った。

「僕は、こんなに後になってから急に来たりせず、君のこと、放っておいてあげればよかったのかなあ。」

「うーん、わからないけれど、いつかは向き合わなくてはいけないことだったのかもしれないから、よかったのかも。たくさん泣いちゃうし、苦しい気持ちにもなるけれど、ひとりでいるわけではないから。それに、おばさまを失った昇ちゃんにとっても、大事な旅かもしれないしね。」

私は言った。

私は実際、その事件の日のことをほとんど覚えていなかった。

確か私は二階にある自分の部屋で荷造りをしていたのだと思う。階下ではいろいろな話し声がしていた。お手伝いさんや、ママや、ママの弟や。降霊会は三ヶ月か半年に一度、様々な準備をしたあとに私の住んでいた大きい家のダイニングで行われることになっていた。薄暗くして、ろうそくだけをつけて、そこに来ている人のゆかりの人物を呼び出すことになっていた。私はそういうこと全部が陰気な上にばからしく思えたし、霊など全く信じていなかったし、主催しているママがいつも以上に神秘をよそおい、黒い服なんか着て、高圧的でいばった態度になっているのがいやだった。そういう能力の全くない、本来はいちばんまともなはずのパパが、ママにまるで頭の上がらない様子なのもものすごくいやだった。当時のコナミヤではその会でお告げがあって買い付けが左右されるのはよくあることだったし、実際うまくいっているのでだれもそのことをとがめたりはしない雰囲気があった。

でも、新商品のサンプルをテーブルに並べて、会議よろしく大まじめに霊にどれを輸入するべきか聞いている人たちなんて、思春期をむかえて現実がただ楽しかった私にはほんとうにくだらなく見えたのだ。

その日は夏の雨が激しく降っていた。それは確かなことだ。

ひとしきり玄関が開いたり閉まったりして、お手伝いさんがお茶をいれにばたばたと走り、やがてドアが閉じられ静かになるまでの音の一部始終が、部屋まで雨音に混じって届いてきた。私は荷造りに疲れてベッドでうたた寝をしていて、ものすごい叫び声で目が覚めた。霊なんか呼び出したから、きっとまた、話に聞いていたおばあちゃんのときみたいに、だれかがおかしくなったんだ、と思って、私はこわくなり、部屋の鍵をかけた。静かになるまで黙っていようと思ったのだ。警察に電話するなんて考えてもみなかったし、当時は携帯電話なんて持っていなかった。そして私の部屋に電話はなかった。私はただ様子をうかがって震えていた。

次に覚えているのは、銀色の光……とてもまぶしい部屋のことだ。でもちゃんとは浮かんでこない。病院に運ばれたのだ、と私は思っている。きっと私は叫んだり震えたりして、自分で自分を制御できなくなっていたのだろう。

「たった一晩で人生が全部変わってしまったんだもの。」

私は言った。小さい子供みたいなまっさらの気持ちで。

「両親がおかしなことになっているっていうことは、感じていたけれど、でも、そんなになるまでだなんて、思っていなかったの。」

「君はなにも悪くないよ。」

昇一は言った。

「もう一回言って。」

私は言った。

「多分みんながそれを私に言ってくれたはずなんだけれど、なんにも覚えていないの。」

「君はなにも悪くない。」

昇一は言った。

「ありがとう。」

私は言った。自然に笑顔になって、昇一の肩にもたれた。昇一は静かに私の肩を抱いた。

「ゆいいつ気になっているのは、私のママが首を切ってしまった人のこと。」

私は言った。

「お手伝いさんは逃げたようだし、おじさん夫婦は結局あの事件で得して生きているし、でもその人はどうしたんだろう？　おかしくなったり自殺してやしないかしら。」

しばらくの沈黙の後、肩と耳を通して、昇一の声がくぐもって聞こえてきた。

「僕はその人の居場所を調べたんだ。探偵をつかって。」

私はびっくりして顔をあげた。

「どうして？」

「この旅の中で必要になるかなあと思って、調べておいたんだ。」

昇一は言った。

「会いに行ってみる？」

「なんでそんな切り札を今まで隠してるの？」

私は笑った。

「いや、順番に、様子を見ながらのほうがいいかなと思って。」

昇一は言った。

「そういうところ、普段だったら支配的でいやって思うんだけれど、今回はありがたくしみてくるわ。ありがとうね。その人はなにをしているの?」

私は言った。

「カウンセリングとか、ヒーリングとか、そういう類いのことみたいだよ。」

昇一は言った。

「やってることが降霊会から全然離れてないじゃん! 私がそんなことを言うべきではないけれど……こりない人なんだなあ。」

私は言った。

「こりない人だからこそ、そんな変わった会に来ていたんじゃない?」

昇一は言った。

「こわいけれど、会ってみようかな、なんか気になるの。あやまりたいような気もするし。」

私は言った。

「君は悪くないって言ってるのに。」

昇一は笑った。

昇一の肩でその言葉を聞くと、だんだんほんとうにそんな気がしてきた。窓の外には渋谷の夜景がごちゃごちゃとした明かりの散らばりとして見えていた。窓が開かないから決して風に揺れることのない、分厚く重いカーテンが部屋にずっしりとした影を落としていた。

だめだめ、これ以上頼りにしたら、もっと心細くなっちゃうから。私は思った。

「なんで僕は君といちゃついてるんだ？」

昇一が言った。

「いとこだから。」

私は答えた。

「それにそれどころじゃないよ、今、考え事してるし。その人がどんな人なんだろうって。会ってくれるのだろうかって。」

「会いに行ってみようか。理由をいうと会ってくれないかもしれないから、お客さんとしてアポイントを取って、その場でよくあやまりながら話してみたらどうだろう。」

昇一は言った。

「いや、でもきっとはじめから正直に言った方がいいな。それで、もし会いたくないと言ったら、いさぎよく引き下がろう。」

「私もそう思う。そんなことがあった人を、だますのはよくないわ。もし会いたくないと言われても、仕方ないことだと思うから、私は平気。でも、あんな会に来ていたくらいだから、おかしな人かもしれない。彼女のホームページはないの？」

私は言った。

「あるよ。僕はもう見た。ちょっと待っててね。」

昇一は言って、パソコンを持って私の隣にもう一度座った。

「この人。」

ママに首を切られた女性の名前は隈美代子さんと言った。

私は彼女の名前さえもこれまで全く知らなかったのだ。

不思議な気持ちでしみじみとその名前を眺めた。自分にとても縁がある人の、同じ何かを共有した人の、きっと私のことなど思い出したくはない人の名前。

私はその人の小さな写真を見た。ちょっと古めかしいレイヤーカットで、色白で目が細くて優しそうな人だった。雰囲気も暗くはなかった。そしてタートルネックのセーターの下から赤い傷がのぞいていた。あざではないことがわかる。それを見たとたん、私の胸は思いのほか強くずきっと痛んだ。

「なんだかそんなにいやな感じがしない。あっさりしている人に見える。写真だからかなあ。」

私は言った。

「書いてあることを読んでも、そんなに悪い印象はないんだ。オカルトっぽくないというか、どろどろしてはいないし、複雑ではない感じ。わりと論理的で。」

昇一は言った。

「行ってみようか。」

私は言った。

「この際なんでもやってみよう。」

「じゃあ、メールを書くよ。」

昇一は言った。

「私は今度こそ帰って寝るね。眠くなってきた。」

私は言った。

「さっきのカッパみたいなの、もう一回見せてくれる？」

昇一は言った。

「いいよ。」

私はポケットから袋を出して、その小さな像をテーブルに置いた。人に見られるのが恥ずかしそうな、かわいい姿だった。口の中に見えている黄ばんだ紙も私にはなじみ深いものだった。今ではそれもおばさまの形見になってしまった。

昇一はそれを手のひらに乗せて見つめながら、少し泣いた。その気持ちがわかったので、私はなにも言わずに座っていた。涙をぬぐって昇一が私にそれを返してくれたので、私はにこっと笑って、

「おやすみ。」

と立ち上がった。

「ありがとう。」

昇一は言った。

「君の役に立つために来たのに、君になぐさめられてばかりだ。」

「私は、昇ちゃんが来てくれて、少しだけだけれど気がかりだったことがじょじょに解消されていくのが嬉しいと、本気で思っているわ。私は面倒くさがりでなんでも放っておいたから、どうでもいいと思っていたけれど、ほんとうはどうでもよくなかったんだ、自分にうそをついていたなあって。」

むしろ悲しみの崖っぷちにいるのは彼のほうで、とにかくおばさまにまつわる仕事を

したいから動き回っているのも彼の方だという側面がこの旅にあることを、私はもちろん知っていた。それでも、だれかが自分のために、普通に思いやりを持って動いてくれることがこんなに嬉しいなんて思わなかった。

「そして、おばさまのことを知っている私が、今の時期の昇ちゃんをなぐさめることができていることが嬉しいとも思ってる。なによりもね、私、自分が人とただいることで、人の役にたてるなんて考えたこともなかったから。うんと子供の頃をのぞいては、いつも自分はやっかいものだと思っていたから。」

昇一は子供みたいな顔で、静かにうなずいた。

私はおやすみ、と言って彼の部屋を出た。

宵っ張りの私は長風呂をしたり、ビールを飲みながら深夜TVを見たりしてゆっくり過ごし、そのままずるずると眠りについた。

朝はまぶしくてぱっちりと目が覚めたが、当然のように朝食も食べずに、部屋に置いてあったインスタントのコーヒーを飲んでぼんやりしていたら、昇一から電話がかかってきた。

「おはよう、まだ隈さんと連絡が取れないんだけれど、今日はどうしよう？　君の実家に行ってみる?」

「そんなにあせらなくてもさ……起きたばっかりで、まだ頭が回らないんだけれど。」

私は言った。ライフスタイルの違う人と旅行すると大変だ、昇一と結婚するなんてやっぱり絶対むり、と思いながら。

「こんないいお天気の日に、あんな陰気なところに行くなんて。」

「僕なんてもう起きてから二時間もたっていて、朝食もばっちり食べて、退屈してるくらいなんだけど。」

昇一は笑った。

「退屈してさっきホテルのジムに行っちゃったよ。」

「かたぎの人間はいやだねえ。」

私は言った。

「でもそうだね、重いことはさっさとやったほうがいいよね。行こう、私は三十分で支度できるから。」

荷物をまとめたり着替えたりしていたら、四十五分後にノックの音がして昇一がやってきた。そのそつない時間の計算も憎たらしくて私はくすくす笑った。昇一はきょとんとしていたけれど。

「曇ってきたよ。」

と私が言うと、

「あの空の色、なんだか不吉だね。これから行くところをわかってるみたいな感じだ。ホラー映画みたい。」

と昇一は言った。確かに空はにわかに曇ってきて、幾重にも重なった重いグレーの雲がたれこめていた。さっきまで東のほうにあったきれいな青い色はすっかり姿を消し、雲の切れ間から射していた光も閉じ込められるようになくなっていた。

「ちょうどいいよ。こんな天気が合うよ、あの家には。」

私は言った。

昇一の車に荷物をつんで、ホテルの地下駐車場から出発した。

途中でお花を買い、雑貨屋さんで見かけた信じられないくらいきれいなろうそくを昇一が何本も買ってくれた。説明書きを読むと、キャンドルジュンという人が平和のために祈りをこめて創ったろうそくだそうだ。気休めかもしれないけれど、お花はとてもきれいだし、このろうそくはいい人が心をこめて創ったんだから、お清めになるといいね、と気楽に言い合いながら、昇一と色を選んだ。そして思った。こんなふうに気を許している人と、いっしょに買い物をしたり、駐車場まで歩いたり、どうでもいい雑談をすることが私の人生にはとても少なかったと。もしもママがこういう時間をどうでもいいと思わず優先して味わっていたら、あんなふうにはならなかっただろう。

渋谷から約一時間くらいの面白みのないドライブを経たら、あっけなく、どこよりも遠い場所だったはずのその家の跡地についてしまった。

懐かしいというよりも息苦しい感じがした。確かに知っているのに永遠にたどりつかない、夢でよく見る場所のように。

公園に面したその家は、雑草が生い茂り廃墟のようになってはいたが、まだそこに建っていた。母屋の一部が取り壊されて、いったん工事が始まったが中断しているままで放っておかれているという様子だった。幼い私が思っていたよりも、小さい家だった。子供の頃はもっとお城のように大きく感じていたのだ。確かに一般の家よりは大きかったが、敷地の広さは昨日行ったクリニックとさほど変わらない。

閉まっている門の前で私は途方にくれた。

「もういいか、見たし。なんだかおなかいっぱいになっちゃった。ここに立っただけで。」

私が言うと、

「それでいいならいいけれど……いやな記憶がよみがえってきそう？」

昇一が言った。

「よみがえらないほうが気分がいいなら、引き返したほうがいいかもしれないね。」

「当初の目的を見失ってない？　あなた、とにかく私の呪いっていうのを解こうとしてなかった？」

私は笑った。

「いや、君がいい気分でいることのほうが、大事だと思う。おふくろがなんと言おうと、そう思うし、おふくろもそう思うだろうと思う。」

昇一が言った。

「よし、それを聞いたら元気でた。じゃあ入ろうか。」

私は言って、門に手をかけた。昔働いていたセキュリティのシステムなんて、家が半分くらい崩壊したまま放ってある状態なのだから、もちろん動かないだろう。シールだけが空しく門に輝いていた。重い雨粒がぽつりとほほにあたった。

「昇ちゃん、早くしないと降ってくるよ。」

「車の中に傘があるし濡れてもタオルがあるから大丈夫だよ。それに君、思い切りパンツが見えてるけど。」

昇一は言った。

「しょうがないじゃない。そんなこと気にしてる場合じゃないよ、さあ早く。」

私は気にせず門をよじのぼり、乗り越えた。昇一は後に続いて軽々と敷地の中に降り立った。ほこりっぽい枯れ草の中を歩いて、玄関に向かった。もしかしてと思って、鍵の隠し場所を見た。古びてひびが入っている水盤の下の割れ目のところだった。パパが隠し場所にちょうどいい、と言って、そこに入れていたのだった。懐かしさで胸がつまった。一度も私を怒ったことのない父親だった。当時絶え間なく流れてきれいにつたがからんでいた水盤の水はすっかり涸れ、汚い雨水がたまっていた。そしてそれでもそこに確かに鍵はまだはさまっていた。

ここに最後に触ったのはだれだったんだろうな、と切なく思った。

私は黙ってそれを取り出し、玄関に向かい、鍵穴に差し込んだ。ちょっと錆び付いた感じはあったけれど、力を入れたら手ごたえがあり、鍵を開けることができた。

「すごい。」

と昇一は言った。

ほこりとカビの匂いで息がつまりそうだったので、私はハンカチを出して鼻と口に当てた。天井の高い玄関ホールにはクモの巣やコウモリの巣もありそうだった。カビの匂いに混じったコウモリの糞の匂いもしてきた。

「あまり真剣に探訪しないほうがいいと思う。」

私は言った。

「臭いし、ほこりっぽいし、病気になりそう。」

「なにか置き忘れていて取りたいものはないの？」

昇一は言った。

「自分の大事だった持ち物とか。」

「なにもないよ。」

私は言った。早く出たい、そういう感じだった。背中がぞくぞくして熱が出てきそうな変な感じがした。

「ほんとうにあったらとっくにひとりで来てるよ。」

「でもいちおう君の部屋もお祓いでもしておく？　気がすむかもよ。」

昇一は言った。

「そういうの、信じているの？」

私は言った。

「全然信じてない。でもまあ、気持ちの問題かなって。」

薄暗い玄関ホールで昇一は言った。まるで洞窟の中にいるみたいだ、と私は思った。この息苦しさ、湿った感じ。家の中はいちおう掃除されていたし、あのときのままではなかったけれど、荒れた感じがした。自分が暮らしていた頃とは違うし、もうずいぶんと長い間人に見放された場所だった。

「せっかく来たんだから行こうか。」

私は無理をして明るく言った。

幅の広い木の階段を上がって行った。はめ殺しの窓から薄い光が照らしていて、ほんの少し明るかった。

段の間隔を自分の足が覚えていた。

この家の中で唯一子供だった私が、勢いよくかけのぼってはママに注意されたのを覚えている。階段を上がっているあいだだけ、子供の足に戻っていた。少しも懐かしくなかった。ただ苦しいだけだった。

私の部屋のドアは開け放たれていて、あの日荷造りしていた荷物はなかった。懐かしいぬいぐるみもひとつもなかった。きっと警察が持って行ったのだろう。ベッドにもきれいにカバーがかかっていた。

「片付けられているみたい。」

私は言った。

「クリーニングの人が入ったんだね。」

「壁に血みたいな黒い跡があるけれど。」

昇一は言った。

「やめてよ、こわい。」

私は言った。

「そういうの、みんなきれいにしたはずだよ。」

「こわいって言っても、その事件は単なる現実の事件でしょう、大丈夫だよ。」

昇一は言った。

「別に知らない人が死んで、君を呪っているわけではないから。」

「そうか、そうだったね。そういう言い方もあるね。確かによく知ってる人だけだよね、死んだのは。」

私は言って笑いさえした。なのに手が震えて足ががくがくするのが止まらなかった。

「花を飾ろう。」

昇一は言って、持ってきたガーベラの花束をベッドの上に置いた。

ああ、棺みたいだ、と私は思った。

花の赤い色が死んだ空間の中にはっきりと浮かび上がって、そこだけが生きているみたいになったのだ。

私は窓を開けた。初めて懐かしさがこみあげてきた。ここから見えるむくげの木が大好きだった。冬にはまるで枯れ木のようになってしまうのに春にはいつもよみがえり、白い花がたくさん、数えきれないほど咲いて、どんどん落ちては咲いて、夏の朝を彩っていたのだ。そのことを久しぶりに思い出した。

新しい空気が入ってきたら家の中が少しだけいい雰囲気になり、動き回っても大丈夫なような、そんな感じだった。さっきまでは目の前がぼんやりしていて霧がかかったようだったのに、はっきりしてきた。

ろうそくをつけて、ふたりで黙ってかなり長い間、炎と透けていくろうのきれいな色を見ていた。炎はなめらかに踊り、窓枠の金属をきらきらと照らした。私の中の止まった時間の鎖がぱちんと切れた気がした。炎は今の時間の中に生きていた。なにかをひとつひとつきらきらと取り込んで燃やしていくようだった。

つけっぱなしでいくわけにもいかないので、次に気がつく工事か下見の人のために吹き消して部屋を出た。

昇一といっしょに少女時代を永遠に後にしたのだ。

ろくなことはなかったけれど、それなりにいろいろ感じて過ごした私の淋しい少女時代を。

「だれが死んでも、なにがあっても、それは今ではないんだね。もう気にしなくていいんだ。大事に抱いていてもしかたないのね。」

薄暗い階段で私は言った。

「そのことがここに来てよくわかったよ。」

「いい調子だ。」

昇一は言った。

ふたりは暗黙の了解をもって、その足でダイニングに向かった。ダイニングに関する会話を一切しないままで。私は昇一の手を握った。昇一は強く握り返してきた。性的な意味ではなくって、人はどうして人に触れると安心するのだろう。動物だからなのだろうか。表面的な意味ではなく、もっともっと深いところで全てが性的な生き物だからなのだろうか。そんなことをぼんやり考えて今の状況から目をそらそうとしている自分を見つけた。

ダイニングへの扉は閉まっていた。昇一がノブをひねると、ぎいっと音をたててドアが開いた。薄暗い中に大きなテーブルだけが浮かび上がって見えた。

「まるっきりバイオハザードというゲームみたいだなあ。」

昇一は言った。

「本気でこわいんでしょう。」

私は言った。

「ばれたか。」

昇一は言った。

「でも、ひとりの人が生き残って元気でいるっていうことが、こんなにここにいる気持ちを軽くしてくれるとは思わなかったな、って今思っていたんだ。あの、隈さんっていう人のこと。」

扉を開けるとき昇一は私の手を離したが、離す前にいったんぎゅっと力をこめた。その繊細さが私をはげましていた。ほんとうは心臓がどきどきしていて、外の空気が吸いたくて、目の前が暗くなっていた。だって、ここは私のママがパパを殺した場所なのだ。

私はただ部屋の鍵をかけて震え上がっていただけで、窓から逃げることもしなかったし、階下に降りていくこともしなかった。だからその場面を見てはいない。何回でも言うが、まさか自分の母親がそんなすごいことをするなんて、思ってもみなかったのだ。

「あの日に戻れたらなあ。」

深いため息をついて、私は言った。

「そうしたら、私は朝のうちに荷物をまとめて成田に行ってしまうのに。それでね、帰国したらまっすぐ昇ちゃんの家に行くの。ふふ。あと、できれば降霊会に来るはずの人に連絡をして、母の状態が不安定なので来ないほうがいいって言いたい。そうできたら、どんなにいいだろうなあ。」

どんなにいいだろう、あそこからやりなおせたらどんなにすてきだろう、そう思うと息が苦しくて悲しくてどうにかなりそうになった。なんでこんなことになってしまったんだろう、この家は。

でもおばさまと昇一が救いに来てくれた私は、これまでのなんでも自分でやっていた私とは違うんだ、受け取ることができる、助けてもらえる自分になったんだ、素直にそう思えた。それはおばさまと昇一が示してくれているものが、私を放っておいた罪悪感だけから来るものではなくって、私という人間に対するほんものの気持ちだからだろう。

全てがきれいに片付けられていたけれど、そこには「人が死んだ場所」という感じの暗い迫力が確かに残っていた。

机の上に唯一残されていたのは燭台で、よくママがそこにろうそくを灯していたのを思い出した。私はそっとそこに手を触れてみた。ママのふっくら白い手が触れていたところだ。ママ、と思ったら突然に会いたくなった。

ママに会いたい、声が聞きたい、歩いている姿が見たい。抱え上げられたい。その手でおでこをなでてほしい。

あんなことをしたあんな親でも会いたかった。だって、あの日から一度も会っていないのだ。ああなる前は、私を優しく抱いてくれたこともあったし、私を見て笑ってくれていたこともあったのだ。

私は涙をこぼし、ぎゅっと自分の手を自分で握った。

昇一は私の背中に手を置いて、とんとんと軽く叩き続けた。まるで母親がするように。昇一はきっとおばさまにそうしてもらっていたんだろうな、と思った。人は、親にしてもらったことしか人に返してあげられないとしたら、私は？　私は大丈夫なんだろうか？

その心の中の複雑さに比べて、今はただの廃墟のダイニングに過ぎないその部屋はあっけない感じがした。ただ重く重層的に暗くて、なにもかもから取り残されていた。

落ち着いたので私は涙をふいて、テーブルに色とりどりの花を置き、ろうそくを灯した。悲しいことがあった場所で灯すために創られたろうそくなのだから、きっとここにもふさわしいだろう、個人的すぎる悲しみだけれど、きっと創った人は許してくれるだろう。ろうそくはその部屋でも同じように、きらきらと色々な色を溶かしながらゆっくりと燃えていった。透けたところが光のドームになって、その中に自分も溶けてしまいたいような、混じり合った甘い色になったのを長いことじっと見つめていた。

そして、ここで死んだパパに手を合わせた。気弱で優しくてフットワークが軽かった私のお父さん。パパ、とつぶやくとまた涙が出てきた。私を守ろうとしてくれたの？それともママと同じにおかしくなってしまったの？　私が死んでもいいと思ったの？いつからおかしくなっていたの？　どうしてそれを私に相談しようとしてくれなかったの？

「うちのおふくろは、君のお母さんのことをおそれていた。」

長い沈黙の時間を破って、昇一が言った。

「いつか殺しにくるんじゃないか、あるいは自分に黒魔術をかけているのではないか、って真剣に言っていたんだ。僕やおやじは気のせいだよ、と鼻で笑っていたけれど、おふくろは本気で、家中をこんなふうにしょっちゅう花やろうそくで清めていた。

君があの小さい像を見つけたから、自分たちは大丈夫だと思ったんだと何回も言っていた。おふくろから見て、あれは君のお母さんとの関係における唯一の吉兆だったそうだ。おふくろは魔女の娘だったせいか、僕らにはわけのわからないそういうことをいつもどこかで考えていた。他の人を巻き込むことがなかっただけで、おふくろだけは一生常に呪術的な世界にいたんだ。

僕には正直言ってよくわからないけれど『もうひとつの見えない世界が現実と平行して存在し、その様子は全て現実に反映される。それはただ兆しとして、象として現実の世界にちらっと現れてくる。それを日々怠らずに読むことが大事だ』とおふくろは言っていた。

あの日、僕たちがいっしょに遊んだ日は、きっとあの双子の道がほんとうに分れた日だったんだ。君のお母さんはお金を含めて現実的な力を得る道をはっきりと選び、おふくろはそれに興味がないとはっきり決めた。現実的にはそれから店の問題でなにかもめて、縁を切ったんだろうけれどね。

そのあともずっとおそれていたよ。君のお母さんがあんなことをして亡くなったとき、おふくろはパニック状態になった。あの日、おふくろは店でばったり倒れて意識を失って、病院にかつぎこまれて数時間後に真っ青な顔で目覚めた。双子だからなにかが通じ合っていたんだと思う。おやじが何が起きたかを話した。おふくろは『こうなることは、どこかでわかっていたの』と言った。そして、ほんとうに悲しいし苦しいけれど、これでやっと解放される、と言って、おいおい泣いた。その恐ろしい雰囲気をよく覚えている。僕はまだ子供で、君たちに起きたことをちゃんと聞かされたわけではなかったけれど、とんでもないことがあったことはニュースでもわかったし、みんなの様子でもわかった。」

「いいなあ、昇ちゃん。」

私は言った。

「なんで私はあの人の子供で、昇ちゃんはおばさまの子供だったの?」

「それは、だれにもわからないよ。そういう運命だったとしか言いようがない。それに関して僕にはなにもできない。自分が恵まれていたことをちゃんと知ってもいる。」

昇一は言った。

「でも、僕は君のためになんでもする。」

「最愛のおばさまの遺言だからね。」

私は言った。

「それがいろいろな意味でどんなに大きなことか、今はちょっと言葉にできないよ。」

昇一は言った。

「あなたたちに今になって出会えたことは、私の宝よ。」

私は言った。そのとたんにおばさまの面影が私までふわりと優しく包んだようで、暗い部屋の中でまた涙が出そうになった。

ふんだ、私にだって家族くらいいいたんだから。できそこないだったけれど。みんなが笑顔だった頃もあったのよ。バカンスはどこへ行こうってこのテーブルで相談したこともあるし、パパが庭でえんえんいっしょに水まきをしながら遊んでくれたことだって……、と思ったとき、私ははじめて庭のことを鮮かに思い出した。

「もう、ここはいいよ。庭に行こう。」

私は言った。

「ここは残骸だよ。廃墟だよ。生きてる緑が見たいの。」

昇一はうなずいた。

私たちはありったけの花とその香りをそこに残して、ろうそくを吹き消して、ダイニングを後にした。まだ血の生臭い匂いがしてくるようだった。どんなにぬぐってもそれは取れないように思えた。私は人の思念が場に残っているなんていうことをあまり信じていないけれど、なにか重いことがあった場所に自分の暗い気持ちが重なっていつまでも汚れたような荒れたような雰囲気が上書きされていく感じは実感できた。一歩外に出れば普通の住宅街なのに、ここだけは果てを思わせた。美しく乾いた果てではなく、だれも来ない場所、古い刑場のような荒れたものだった。いつかこの空間を恐怖やあきらめがいっぱいに満たした、そういう救いのないなにかが残っていた。

そして、昇一の言う通り、生き残った人がいたということが私をこんなにもほっとさせるとは、ここに来るまで気づかなかった。くらくらして倒れそうになるたびに、隈さんという人の写真で見たあの笑顔が浮かんできた。よかった、と思った。ここをくぐりぬけて生存した人がいたのだ。

そこでは窓を開けても、暗くもやもやしたものは晴れなかった。

やった人の心がいちばんの地獄だったのだろうという考えがふと浮かび、ママを許せればいいのに、と思った。ずっと地獄を生きてきて、パパを道連れにして、それをなにかに取り憑かれたせいにして、やっと終えることができたんだろう。とんでもないことだが、それがママだったし、その人生だった。完璧主義で店にあるものをみんな試食して太ってしまい、腎臓と肝臓をこわしていたママ……それだけ必死にやれば、普通の成功は手にしたと思うけれど、もっともっと力が欲しくなっていった。

庭に出ると、雨はやんでいたが重い雲がまだびっしりと空を覆っていた。いつ降り出してもおかしくはない。手入れされていない庭のさびれかたは私をまた悲しくさせたが、それでも外の空気が肺に入ってきたことで、体の出している警報みたいなものがふっととけるのを感じた。

「私は、女性は実業にあまり向かないと思う。女性ならではの仕事なら別だけれど。」

私は言った。

「なにか社会的な、慈善的な役目と関係あるなら別だし、期間が限られていたり、体ごと男になれるなら別だけれど、そうでない場合は、たいていどこかしら不幸になっている気がする。」

「ずいぶんと保守的なことを言うね。」

昇一は言った。

「うちのおふくろだって、実業をやっていたわけだけれど。」

「それはおじさまや昇ちゃんがいたからできたんだよ。」

私は言った。

「チェーンが広がっていくにつれて、どんどんつらそうになっていった気がする、うちのママは。もともと安定した性格ではなかったのに、そんな大きなものを背負おうとしたのが間違いだったのよ。」

「人を殺すほどおかしくなっていたって、どうして誰も気づかなかったの？」

昇一は言った。

「これ、何回言ってももう遅いってわかってはいるんだけれど、つい言ってしまうんだよ。だって信じられなかったんだもの。そんなになってるなんて。はりつめているのはもちろん感じていたし、どんどん表情がなくなっていったし、権力的になっていったのはわかっていた。

　ささいなことでも、彼女に反対すると降参するまで糾弾されたし。ママが度を超しているのはだれだってわかっていたの。

　降霊会でなにかヒントが得られなければ事業の問題も解決しないと思っていたから、雰囲気はどんどんせっぱつまっていって、ママがきりきりして、パパがおろおろして機嫌をとる毎日だったし。はれものに触るようだったよ。」

　私は言った。

「でも、そんなすごいことをするほどだったなんて、今でも信じられない。いつかヒステリーになってあのクリニックに行くか、過労で倒れるか、どちらかだと思っていたの。そうなるならまだいいな、それでまた休んで頭の中を整理したら元のママに戻ってくれるといいな、と思っていたの。無邪気すぎたね。」

「それは仕方ないよ。そんなこと思いたくないもの、身内なら。」

　昇一は言った。

「何回でもうそだと思いたいよ。」

　冬近いのにあおあおとしている椿やくちなしの葉っぱのつやつやしているようすは私をなぐさめた。昔植えたクレマチスも元気でつるを伸ばしているし、薔薇は茂り放題だけれどしっかりとつるを伸ばしていて、まだ何年でも咲きそうだった。大好きだったむくげはほとんど枯れているが、まだ命があるのがわかった。きっと春には思い出の中の光景と同じようにたくさん葉を出すだろう。懐かしかった。

「私、やっぱりあのクリニックに一切住んでいなかったね。」

私は言った。

「昨日、あそこの庭で感じていたと思い込んでいたことは、この庭で感じたことと重なっていた。だって、今、この庭の昔の姿をはっきりと思い出したもの。」

「そうなのかな。」

昇一は言った。

「そうだ、だってあの庭と方角が違うもの。夕方になって陽が沈む方角が、思い出の中と違う。今は曇っているけれど、西はあっちでしょう？」

私は言った。

「渋谷から見てあっちに向いて建っているってことは、あの庭で、夕陽を私の思っていた角度で見るはずがない気がする。きっとあそこを訪問した記憶とここが混じっていたのね。」

「昔の記憶だから、そういうことこそ混じってあいまいになっているのかも。」

昇一は言った。

「そうかもしれないよね、でも、っていうことは、私はあの事件のあとどこにいたんだろう？」

私は言った。

「うちでないことだけは確かなんだけれど。」

昇一は言った。

「そう、そのときに、あの性格のおふくろが君を引き取らなかったことが、いまだにいちばんの不思議なんだ。死ぬ直前まで君のことを言い続けていたような人が。」

「もしかして、私が変わってしまって急にママみたいになって、おばさまや昇ちゃんに危害を加えると感じたとか？」

私は言った。

「そんなことは思わなかったと思うよ。だって君、全然種類が違うもん。あのお母さんの子供なのが不思議なくらい。」

昇一は言った。

「そんな優しいこと言わないで。」

私はまたちょっと涙が出てきた。まるでなにかを急いで洗い流そうとしているみたいに、しょっちゅう涙が出てくる。

そうだ、私をずっとなぐさめてくれたのはこの庭だった。このだだっ広い家の中で、十歳過ぎてからの私のいる場所は自分の部屋とこの庭だけだった。こここそ、まさに蟻の巣がどこにあるかまで知っていた場所だ。夏には色とりどりの朝顔の棚を作り、早起きして世話をした。海で拾ってきた珊瑚のかけらでていねいに花壇を作ったりもした。庭師さんもそれを壊さないでいっしょに世話をしてくれた。

この家で私のいたほんとうの場所がここだ、とわかったとたんに、体の中にすごい力がわいてきた。勇気と呼んでもいいようなものだった。もう私は大丈夫だ、先に進める、そういうものだった。ここの地面にぐっと支えられているみたいな、ふるさとの地面をしっかりとふみしめたみたいな気分だった。そうだ、この庭はいつでも私を愛してくれた。歩くたびに歓待されている気持ちがあった。ここでは私はすばらしい時間を過ごしたのだ、そう思った。友達になった庭師のご夫婦の顔までしっかりと思い出した。

今は荒れて変わり果てたその場所だったが、私には当時のきれいな小径が見えるようだった。

「さっきまでただ暗く淋しい気持ちだったけれど、そしてすっかり忘れてしまっていたんだけれど、ここが好きだったの。ここに立ったらまるで温泉に入ったみたい、だれかにぎゅっと抱かれたみたいになった。来てよかった。昇ちゃん、ありがとう。」

私は言った。

「親はいつも忙しかったから、私、いつも庭に出ていて、陽にやけて真っ黒だったんだ。それで、月に一回来る庭師のおじさんとおばさんにすごくかわいがってもらったの。お菓子をもらったり、いっしょにお弁当を食べたりしたの。おばさんは私のぶんのサンドイッチを作ってきてくれるようになったんだ。あの人たち、どうしているんだろう。できることならあの人たちに会ってお礼やおわびが言いたいな。

いっしょに雑草を取ったり、朝顔を育てたり、虫を見つけたり、植物の手入れの仕方を聞いたりしたの。薔薇の育て方も、アーチの作り方も習ったよ。それでね、小さい頃の私は庭師になるのが夢で、どうしてトスカーナの彼氏のところに行きたかったかというと、そこにオリーブの畑があったからなんだね。広大な農園があったから。すっかり忘れていたわ。なんで忘れていたんだろう。大事な、大事なことだったのに。あまりにも大事にぎゅっとだれにも言わないで抱えていたから、かえって忘れてしまったのかな。庭師と遊ぶのをママはあまり快く思っていなかったから。」

昇一は私をぎゅっと抱いた。

二重にぎゅっと抱かれているな、と私は思った。庭と昇一とに。

「かわいそうに思っているわけじゃないんだ。ただ、やりきれなくて。」

昇一の声が震えていた。

「それはかわいそうに思ってるってことじゃん。」

私は言った。

そして、昇一にぎゅっと抱かれて肩越しに空を見ていたら、もうひとつ思い出されてきたことがあった。パパのことだった。

パパにこうされたことがあった、こういう気持ちで空を見たことがあった、いっしょに庭にいたときに。そう思った。

夏の終わりの朝だった。パパと私は朝顔の種を取っていた。パパがあまりにもしょんぼりしているので、私は「どうしたの？」と聞いたのだった。

そうしたら、パパは言った。

「うん、ママはもうパパのことがいらないみたいなんだ。それでね。」

「離婚っていうこと？」

確か小学生で、もう分別のあった私ははっきりとそう言った。

「ううん、籍は抜かないと思うよ。ただ別々に暮らすっていうことかな。」

パパは言った。

「じゃあ、私、パパと行くよ。ママは忙しすぎるし、おじさんたちもいるから淋しくないでしょう。もし四畳半みたいなところでも、パパと行く。」

私は言った。

パパはしばらく目をつぶっていたが、くくく、と泣いて、顔を押さえた。しばらくパパはむせび泣いていて、私はパパの手をぎゅっと握っていた。パパは顔を押さえたままかがみ込んで、泣き顔を見られないように私をぎゅうと抱きしめた。

「パパも由美ちゃんを手放さないからな。家族がこわれても、由美ちゃんはパパの娘だ。」

そのときにも、こうやって空を見たのだった。悲しい気持ちで。

なにかが壊れていく、それをじっと見ていたのだ。

「パパ、いざとなったら、おばさまがしばらく泊めてくれると思うの。おうちが見つかるまで、昇ちゃんとおばさまとおじさまの家で、楽しく過ごそうか？」

私は言った。

「そんなことができたら、どんなにか楽しいだろうね。」

パパは悲しそうに言った。

「どんなにいいだろうな。」

そのあと、離婚も別居も結局たち消えになり、パパは単に個室をあてがわれて家庭内別居が始まっただけだったので、私は拍子抜けしたものだったけれど。

あのときのパパの涙を思い出して、私はわあわあ泣いた。

泣きやむまで、昇一は私をぎゅっと抱いていた。まるでお母さんが子供を抱くみたいに。空は重い雲を抱えたままでだんだん暮れてきていた。この旅ももうすぐ終わりだなあ、と私は思った。でも私はここで宝物であった私のいちばん大事な記憶を取り戻したのだから、よかったな、と思っていた。


隈さんからメールがあったのは、その日の夜だったらしい。私はホテルの部屋へ帰って、さすがに疲れたみたいですぐに寝てしまったので知らなかったのだが、昇一は彼女と電話をして直接話したと、朝ごはんを食べながら言った。

ホテルのブッフェには人も少なく、銀のお皿に盛られたきれいな果物や卵や野菜が並んでいた。

私は早寝のせいで早起きをして、シャワーを浴びてから昇一に電話をして、朝ご飯に誘われたのだった。その頃には腫れた目も元に戻ってきていた。

「今日、隈さんに会えるの？」

私は言った。

「うん、お昼前に予約が取れた。いっしょに行っていいそうだよ。君さえさしつかえなければ。」

昇一は言った。

「全くさしつかえないよ。いっしょのほうがいいし。」

私は言った。

フレッシュジュースが体にしみわたるようだった。朝起きたときから、なにかが動いているのを感じていた。長い間重く閉じ込められていたものが解き放たれたような感覚だった。

「昨日、あの家に行ったことを話したんだ。」

昇一は言った。

「そうしたら、隈さんも、そのことに今になって向き合うのは勇気がいるけれど、君がそんなすごい勇気を出したのなら、それにこたえるのが私の仕事だ、と言っていたよ。多分立派な人だと思う。あの人は大丈夫だろう、うさんくさい人ではないと思った。」

「人相もよかったものね。」

私は言った。

なんて。」


「私、あの場に行って、ますます信じられなくなった。自分の親が、あんなことをした
「おふくろが言っていたんだけれど。」

　昇一は言った。

「おふくろはおばあちゃんから聞いてたことなんだけれど、魔女の学校に行って、毎日毎日非現実的なことを習っていると、だんだん頭がおかしくなってきて、景色が全部シンボルに見えてくるんだそうだ。まあ、トリノ自体がそういうなんでも意味深に見えてしまう場所であることも確かなんだけれど。なんといっても街の下にミイラがいっぱいあるようなところだしね。

　おふくろも後年、それがわかるようになったと言っていた。目に入ってくる全てのものに意味を見いだすようになると、ものごとの道理がどんどんわかってきて、自分だけがうまく回していけると思うようになるんだそうだ。でもそれをするには体をすごく鍛えていないと、頭に負荷がかかりすぎて、おかしな熱を帯びてくるんだそうだ。もしその頭の状態で、人を殺すことがその場での必然と感じられたら、ありえなくはないって。でも、体を正していると、体のほうが違和感を告げてくるから、おかしくなりきってしまうことはないって。だからおふくろはいつも体のメンテナンスを欠かさなかった。

君のお母さんは、悪いことだと思わなくて、しなくてはならないことだと思ってしまうところまで行ってしまっていたことがおかしいには違いないけれど、きっともしも生きていたら、本人はなにかそれなりの理屈を言ったと思う。彼女の信じていた世界の中では、その場で人を殺すことは、当然のことだったんだ。」

「そんなのに気づかないってこと、ほんとうにあるのかなあ。」

私は言った。

「私、バカだったのかしら。」

「いや、だれだってさ。」

昇一は言った。

「昨日も言ったけれど、だれだって、自分の親を信じたいだろう、どんなに変でも、そんなことするわけないって思って、目にもフィルターがかかってしまうだろう？　好きでいたいだろう、親のこと。そういうことだよ。他人だったら、きっとわかったんだろうけれど、他人は人ごとだからいちいち言わなかったんだろう。」

「そうか、好きでいたかったんだ。私であったあの思春期の女の子は、見ないふりしてただじっと待っていたんだ。幸せな頃が戻ってくるのを。」

このところゆるんでいる私の涙腺から、また涙が落ちた。

朝の光の中で、あたりまえのことがあたりまえのことに戻っていく過程を、私は涙と関係なく冷静に見ていた。ちょっとずつずれていくものは、いつのまにかとんでもなくずれていく。ちょっとずつのずれなので、まわりもできれば気がつきたくないから、どんどんひどくなっていくのに慣れてしまう。

あの廃墟で確かに人が暮らしていたことがあったなんて、いまや誰も信じないだろう。願わくば、あそこにもういちど活気が戻ってきて、歴史を変えてほしいなと思った。倉庫では淋しすぎる。大きなお店にして、カフェも併設されて、近所の人がそこで和んでくれたら、私の心もすごく落ち着くのにな、と思った。

もし私に選べるような人生があったら、それを目標に生きたのかもしれない。でも、もう遅すぎた。遅すぎたけれど、あきらめだけではなく、あの家をそうしてあげたい気持ちが自分の中にあることを見つけただけで、固まっていた気持ちが柔らかくなった。それでよかったのだと思った。

気持ちが苦しくてのどがつまったような感じがしてとてもパンを食べられなかったので、ゆっくりとりんごを食べた。昇一はそれ以上話し続けず、パンをもぐもぐ食べながらコーヒーを飲んでいた。うさぎみたいによく嚙んで食べている口元を見て彼を愛おしく思った。

その優しい目のままでレストラン全体を見たら、今生きている人たちの動きがみんな鮮やかに、美しく流れるように見えた。

　こんなふうにずっと、昇一と黙っていっしょに朝ご飯を食べることができたらいいのにね、と私は思った。なんだ、生きているってこういうことなんだ、これでいいんだ。ママのしでかしたことのせいでもっとすごいことを成し遂げなくっちゃいけないのかと思っていたし、それができないのなら、ずっと頭を低くして毎日を送らなくちゃいけないのかと思っていた。でもそんな大それたことではなく、ただ久しぶりに会ったいとこと旅をしたりちょっといいホテルで朝ご飯を食べたり、それをこの体で消化したり、今日一日の始まりを静かにこの目で見たり、それでいいんだな、これが人生のほとんど全部の要素なんだ、そう思った。


　三軒茶屋の長い商店街を抜けていった奥のマンションの一室に、隈さんという人の仕事部屋はあった。

　私は緊張していたが、昇一はそうでもないみたいで、普通に運転してさくさくと駐車場を探し、さて行くか、という感じでプリントアウトした地図を見ながらその白っぽいマンションをすぐ見つけ出した。

そのことが頼もしくもあり、少し悲しくもあった。あたかも共有しているかのように過ごしているけれど、私だけの重い問題だったことをまた思い出させられて、しっかりしなくてはと思うのだ。

そのマンションはひとつひとつの部屋が広そうで、どこの窓も大きかった。きっと家賃も高いのだろうな、と思った。こういうお仕事ってもうかるのだな、などと不謹慎にも考えた。ママもきっと降霊会をする度にさぞかしたくさんのお金を集めていたんだろうなあ。

オートロックでなかったので、エレベーターに乗って直接そのドアの前に立った。昇一がインターフォンを押すと、はーい、と声がして、ドアが開いた。

ネットで見た隈さん本人がそこにふわりと立っていた。

写真よりも少し年をとっているけれど、目が透明できらきらとしていて、茶色に染めた長い髪の毛にはゆるいウェーブがかかっていて、真っ白いカジュアルなニットに包まれたからだは棒みたいに細く、全体的にこざっぱりとしていて、雑貨店の店長さんみたいな感じの人だった。

彼女は懐かしいものを見るような、果てしなく優しい目で私をしみじみと見つめた。

私は消えてしまいたくなった。私のママがあなたを殺そうとしたんです、ごめんなさい、そう思った。

彼女はそんなことおかまいなしににこにこして、

「どうぞおあがりください。」

と小さな高い声で言い、私の肩にそっと手をあてて中へと導いた。隈さんは昇一にもにっこりと会釈をしたので、昇一は私たちのあとからついてきて靴を脱いだ。

奥のほうにはリビングらしきものが見えたので、多分ここは自宅をかねているのだろう、と私は思った。一人暮らしのようだし、こわくないのだろうか、いろいろな人が家に来ることは、と思ったあと、あんなことがあったあとでは、こわく思いすぎるか、いっそ度胸がついているかどちらかだろうと思った。あるいはその両方を行き来する人生になってしまったのか。

私たちが通されたのはかなり広い、玄関のすぐそばの部屋で、低いテーブルと向かい合わせの白いソファだけが置いてあった。あやしいグッズも水晶もない、普通の品のいい少しかわいいタッチの部屋だった。花瓶にはアネモネがたくさん活けてあった。アロマポットの中には小さなろうそくが灯り、ラベンダーのよい香りがかすかに漂っていた。全体があまりに女性的で繊細、透明できらきらした空間なので、自分の存在がものすごくがさつで下品で騒々しく感じられた。隈さんがお茶をいれに行っている間に小さい声

でそう言ったら、

「僕もそういう気分。全く同じ気分。」

と昇一が小さい声で恐縮した感じで言ったので、おかしくて笑ってしまった。

窓の外にはキャロットタワーが見えた。ああ、こういう位置関係にあるんだ、と来た道のりを思った。外には雑多な生活の世界が広がっているのに、ここは雲の上みたいに静かで、モーツァルトが小さい音で流れていた。

「お待たせしました。」

と言って華奢なカップに入ったミントティーを持って、彼女は音もなく入ってきた。妖精みたい、と私は思った。そして彼女はそうっとドアを閉めた。銀のトレーをテーブルに置き、私たちの向かいの一人がけのソファに座り、お茶を配った。小さいお皿に載ったクッキーも添えられた。

「あの、私は、あの事件を起こした小波の娘で、由美子と言います。母がひどいことをして、申し訳ありませんでした。」

私は言った。

「なんとおわびしていいかわかりません。一度、お会いしたかったんです。」

「だって、あの場所にすすんで足を運んだのは私だし、あなたがやったわけじゃないもの。あなたがあやまることないわ。」

隈さんは初めて少し暗い顔をして言った。

「私、ほんとうにそう思っているのよ。それだけは信じてくださいね。ずっとそう思っていましたし。」

「僕は彼女のいとこで、高橋昇一と言います。うちの母の遺言で、彼女の助けになろうと思って、いっしょにいろいろなところを回っています。」

昇一は言った。隈さんはにっこりとして会釈した。そして言った。

「高橋さんがどんなにたいへんな思いをして、このことをしているのか、私にはわかる気がします。私はあのことがあったからかもしれないけれど、うまくここにいられる自信がないくらいですもの。集中していないと、今にも自分の影が薄くなって消えてしまいそうで。それはもちろん由美子さんを責めているのではなくって、あのことがあってから、私もまた長い暗黒の中をさまよったし、自分がむだに生き残ったという感覚が消えないんですよ。」

「むだなんて、そんな。あなたが生きていてくれてどんなにありがたいか。」

私は言った。

「それを言ったら、私のほうがずうっとむだですよ。」

隈さんは首をふった。そしてきっぱりと言った。

「いいえ、子供というのは未来そのものです。どんな状況でも、子供の命は守られるべきものなんです。あなたはまだ子供だったんです。あなたをそんな傷から守ることができなかった私こそがわびるべきなんです。」

「そんなこと、ないですよ。すっかりませていてボーイフレンドもいて、二階でのうのうと海外に行く身支度をしていたんですよ。なのにみなさんを助けてあげられなかったなんて。騒ぎになっているというのがわかったらすぐに警察に電話すればよかったんです。それは私にしかできないことだったはずなんです。」

私は言った。

「私、こわかったんです。いつも母が霊を降ろしているの、大嫌いでした。あのものものしい雰囲気も、気味悪いところも。だからなにか騒ぎが起きているなと思ったけれど、知らないふりをしていたかったんです。どうしても見たくなかったの。ごめんなさい。そんなことありえないってわかっています。だって、あんな大騒ぎが起きていたんだもの。でも私は鍵をかけて、音楽を大きな音で鳴らして、時間が過ぎるのを待っていたの。なんてひどいことでしょう。なんて弱虫だったんでしょうか。」

やっとあやまることができた、と思った。あとの人たちのことはどうしようもないけれど、隈さんに言うことができただけで、私はまたひとつ軽くなった。

隈さんは静かにまた首をふった。

「いいえ、違います。それはちっとも悪いことじゃなかったのよ。あなたは子供だったの。まだ未来がたくさんあって、無邪気で、命がはじけそうなくらいに輝いていた、これからの人だったの。それなのについていなくって、あんなことになってしまったの。子供なんだから、大人がおかしくなったら不安になって心にも実際の扉にも鍵をかけるのはあたりまえのことなんです。だから、あれは全部あなたにとってあたりまえのことだったんです。責任を感じさせた大人たちが悪いの。私もその中にもちろん入っています。だから、あなたはいつだって、今も、ちっとも悪くないのよ。」

隈さんは私の手を取った。とても冷たい手だったけれど、そこからなにか温かいものが注がれているような感じがした。そして白くて透明な彼女がたまにきらきらとまぶしい午後の光の中にかすんで見えるようだった。

「ほんとうにおそろしいことが起きていると、人は当然そこから逃げようと思うし、気持ちをそらそうと思う。子供だったらなおさらそうなの。悔いることなんかひとつもないわ。あの場にいた私が言っているんだから、間違いないですよ。」

私は子供みたいにわーんと泣きだしたかったけれど、隈さんの首の真っ赤な縫いあとの残った痣みたいな傷を見るとどうしても泣いてはいけない気がして、必死でこらえた。昇一がソファのはじで顔を押さえて泣いているのを見たら、ますます泣けなくなった。きれいな涙がいっぱいにたまっている昇一の目は子供の頃と全く変わらない。蓮の葉の上に乗っている朝露の珠みたいに、むだなものがない涙だ。

「ごめんなさいね、私こそあなたになにもしてあげられなくて。」

隈さんは言った。

「会ってくださっただけで、そして生き残っていてくださっただけでもう充分です。」

私は言った。隈さんは静かにうなずいた。

「私はあれから、中途半端にオカルト的なものに興味を持つことをやめました。ああいうものはだいたいの場合は性の中途半端な代用なので、のめりこむとどうしても、深いところ、人にわかられていないところを目指していって、どんどん抽象的におどろおどろしくなっていくのね。

私は途中で出てきて、現実的な世界で人を助けようと決心をして、自分なりにいっしょうけんめいに毎日を重ねています。助かったとき、自然とか、神様とか、そういう大きなものにもらった命だというふうに思ったから。私なりに、あなたのお父さんを助けられなかったことも後悔しているの。みんなには、人の家庭の問題に首を突っ込むからだ、って言われたわ。ほんとうに首を突っ込んで切られてしまったんだけれどね。」

そう言って隈さんはちょっと笑った。きびしい冗談だなあと微笑み返しながらも私は思っていた。

「私は運がよかったらしく、こんな場所を切られたわりに深い傷ではなかったし、すぐ処置をしたので、闘病自体はごく軽いものだったんだけれど、ケロイド体質なので、傷が残ってしまったのね。ただ、精神的には大きな傷を負いました。そして自分で自分を癒していく厳しい道のりの中で、いろいろなものを得ました。私ね、電車にも乗れなくなったし、暗い部屋に入れなくなったし、雨の日はいつでもこわくなってしまって、部屋でのたうちまわるように苦しみながら恐ろしい夢をくりかえし見て寝込んでいたし、首の痛みも長い間私につきまとい、普通の生活ができない十年間が確かにあったの。とても長かったし、十年よりもっと長く感じられた。

でもそこから出たとき、世界は変わらずに私とともにありましたよ。別になんてことなかったんです。私は大丈夫だったんです。いちばん気の毒な人はあなたのお母さんで……あのときもね、魔女の学校を日本にも作るって言っていたわ。それはあの財力を重ねていけば不可能ではなかったと思うの。でも、あの時期、それこそなにかに取り憑かれたように急いでいたわ。なんでも早くしたかったのね、あなたのお母さんはね。それから、土台をなくしてしまったのね。」

隈さんは言った。

「土台ってなんですか？」

私は言った。

「それはあなたやそちらの高橋さんが持っているもの、そして私が持っていたものよ。」

隈さんは言った。

「この世は生きるに値すると思う力よ。抱きしめられたこと、かわいがられたこと。それからいろいろな天気の日のいろいろな良い思い出を持っていること。おいしいものを食べさせてもらったこと、思いついたことを話して喜ばれたこと、疑うことなくだれかの子供でいたこと、あたたかいふとんにくるまって寝たこと、自分はいてもいいんだと心底思いながらこの世に存在したこと。少しでもそれを持っていれば、新しい出来事に出会うたびにそれらが喚起されてよいものも上書きされて塗り重ねられるから、困難があっても人は生きていけるのだと思う。土台なのだから、あくまでそれは上になにかを育てていくためのものなのよね、きっと。

もちろんあなたのお母さんだって、そういうものを一回も知らなかったわけではないでしょう、でも、育てないで放っておいていつのまにか失ってしまったか、別のものを求めすぎてみんな捨ててしまったのか。」

私はうなずいた。そして言った。

「なにかのせいにしたいわけではないのですが、憑衣ということを信じていますか？」

「信じないわ。」

隈さんは言った。

「それは、ある状態を憑衣という言葉を使ってしか説明できない人のための言葉だと思う。幽霊もそうだと思うわ。便宜上その言葉を使った方が説明しやすいから存在する言葉だと、思っています。私はあれをやったのが悪魔だとかなんだとかそういうふうには思わない。当時マスコミではそういうふうに言われていたけれど、私は人間のしたことだと普通に思います。私はあの場にいて暗示にかかり、確かにおそろしい影だとかそこにいないはずのだれかの声だとかを聞いたし、だれも触っていないのに花瓶が落ちて割れたりしたのよ。それでもそう思う。」

「あなたがそういう人で、私はとっても助かりました。」

私は言った。

「どんなに助かったか、言葉にできるといいのに。」

「大丈夫、あなたの全身から、あなたがうそをついていないことが伝わってきます。そのことも、いくらでもオーラとかなにかそういう言い方を使って簡単に説明することはできるんだけれど、そんなのではなくてね、細かく人を見ていけば物理的にわかる問題なのよ。シャーロック・ホームズみたいにね。体の動かし方やお話の順番や目線やそういうものをよく見ていれば、驚くほどいろいろなことがわかります。ただし、自分の考えを入れないで見るのが大事なのよね。人はほとんどのものを自分の考えだけで見ているから。」

隈さんは言った。

「人は、なんでもできるの。忘れないで。今、あなたがここにいることだってとんでもない、ありえないはずのことなのよ。でも、人はなんでも可能にする。つながりのある他の人の力を借りたりして、実現させる。ただ、説明のしかたがあれこれあるだけで、同じことなのよ。あなた以外の人がそのときあなたに注ぐ力の名前こそが、軽々しい意味ではなくて愛というものなのよ。それはあなたがお母さんに最終的に少しゆがんだ形でもらってしまったものを修正することさえできるわ。」

「おふくろの遺言と全く同じ内容だなあ。」

昇一は言った。

隈さんはほほえんでうなずいた。

「それもみんな、あなたが持って生まれたものがすてきで、賢くかわいらしくてみんなの心を明るく照らしたからだと思うわ。みんなが……もしもいるとしたらだけれど、神様とか天使とかそういうものさえも、庭の木々の精霊たちも、あなたをうんと惜しいと思ったの、あの家に生まれてしまったことがね。助けようと手をさしのべられなかったことがね。」

「ほんとうに、うちのおふくろが君を引き取らなかったのが、すごく不思議なんだ。」

昇一は言った。

隈さんはなぜだかものすごく悲しい顔で、昇一を見て言った。

「そのことを、今、まだ私に聞かないで。私、わかっているのですけれど、今は言いたくないのです。いずれまた、言えるときがあれば、言います。カウンセラーのくせに、ごめんなさい。今はそっとしておきたいの。」

私は一瞬、隈さんが泣き出すのではないかと思ったので、話題を変えた。

「私のお母さんは、いったい何を呼び出してどんなことを聞いていたんですか？」

私は言った。

「来た人の死んだ身内を呼んで、いろいろ質問をさせてあげたり、言い残した言葉を告げていたのは知っているんだけれど。そういうのに参加していたんですか？」

「そうね、そういうイタコみたいなときもあったらしいし、商売がうまくいくにはどうしたらいいかというのを、神様かなにか、大きな存在と思い込んでいたなにかに聞いていたみたい。人事のことを相談している人もいたみたい。私はどうしてそこにいたかというと、勘がつよすぎて精神的に少し不安定になっていたので、魔女の学校に興味があったのよね。それで日本に白魔女の学校を作るという人がいるよ、というので紹介してもらって、見学に行くっていうことになって。あの日が初めての日だったのよね。運悪いことに。でもそれも私の人生に必要なことだったと今は思っています。

はじめに部屋に入ったときから、暗くておどろおどろしい感じだから、なにかが違うと思ったんだけれど、そのときは今ほど自分の感覚に自信がなかったから、そのままそこにいてしまったの。お母さんは、最後のほうはもう人間の言葉をしゃべれなくなって、ずっとまばたきをしないで目を見開いていて、それからお店のことについてお父さんとものすごい言い争いになって……はじめはどこかに支店を出す話だったのよ。ブラジルだかアルゼンチンだか、そっちのほうに。」

「ブラジルにコーヒー豆の店を出してどうするんだろう？　ばかじゃなかろうか？」

私は言った。

「なんかよくありがちな間違いの方向だよね。」

昇一は言った。

「現実が見えなくなっているというか、そういう感じ？　うちのおふくろもよく考えすぎてそういうふうになったよ。それで、まわりの人に現実の意見を聞いて、はっと気づいて大笑い、みたいなことがしょっちゅうあったな。」

「娘にはブラジルで日系の男の子を養子にもらうつもり、と言っていたなあ。」

隈さんは言った。

「ああ、私に婿養子を取るっていうのもその頃言っていた。私は経営者に向いていないのが今からわかるからって。だからきれいに育てて高く売るしかない、みたいなことをよく冗談のつもりで言っていた。すごく傷ついたけれど。うちのママは本気だったんだろうね。」

私は言った。

「子供以上に大事なものができると、人は化け物になっちゃうのかな。」

「あなたのお母さんの場合もそうだけれど、結局うんと小さい頃の問題なのよ、きっとね。」

隈さんは言った。

「私は首を切られて、あなたは人生めちゃくちゃになって、ほんと、冴えないよね。」

私はただ笑うしかできなかったけれど、あはは、と心から笑ってしまった。

「でもね、そんなふたりがこうして会って笑ってるってことが、いちばん強い。お互いを嫌い合うわけでもなくって、お茶を飲んで、安全であったかい部屋の中でまた会ってるんだものね。それよりも強いものはこの世にない。」

隈さんはにこにこして、そう言った。私もそう思ったので、うなずいた。

昇一が、観てもらったことには変わりないからお金を払います、といくら言っても隈さんは絶対に受け取らなかった。

「私も会いたかったから。」

と言い張って私たちを笑顔で送り出した。「ありがとう。」と言いながら、その言葉がそんなに軽く思えたことはなかった。何回も言いたかったけれど、一度言うのがいちばんいいような感じがした。なにか大きな網に受け止めてもらったみたいだった。その網をつむぐのに、隈さんはどれだけの時間をかけたんだろう、どれだけの死にそうな夜を過ごしたのだろう、それなのにそれを全部わかちあってくれたのだ。そう思ったからますますありがたかった。

ずっとひとりでやってきたと思っていた私だけれど、おばさまの気持ちのところから始まって、愛情の貯金をしているような、愛されて大事にされているような、そんな気がしてきてかえってこわくなった。小さい頃にまだまともだった両親からもらったものみたいなものを、今あらためて他の人たちから思い出させてもらっているみたい、そう思った。なんでみんなこんなふうに親切にしてくれるんだろう？

このところの私を、ずっと亡くなったおばさまが強い意志で守ってくれているような気がしてきた。

私はひとりでなんでもやってきたけれど、ほんとうは思春期にも世話されたかったんだろうなあ。だれかにどこへ行くにもついてきてもらったり、いっしょに考えてもらったり、根気よくとなりにいてもらったりしたかったんだなあ、それは贅沢なことだけれどあたりまえのことでもあり、きっとそれだけが私の欲しいものだったのだ。それを今もらっているのだ。

家族が崩壊していくということは、もともと持っていたものがどんどん目減りしていくということだ。こんなふうな将来が来るのかな、とみんながなんとなく抱いていたものが単なる幻想だったということがわかって、どんどんむきだしの野ざらしになるということだ。

私ほど大きく壊れた人もなかなかいないと思うけれど、だめになった家の人たちはみんな多かれ少なかれ、昔抱いた愛情にまつわる夢が全部まぼろしだったことに、いちばんの衝撃を受けるんだろうな、と私は思った。

「いい人だったね。僕はもしも人に首を切られたら、あんなふうでいられるかどうか……。」

昇一は言った。

「すごい人っていうのは、いくらでもこの世にいるんだなあ。僕もすごい人になりたいものだなあ。たいしたことはできないんだけれど。」

「昇ちゃん、いいね。こういうことのあとに、そういう単純な意見というか、感想を聞くとなんだかとってもほっとする。」

私は歩きながら言った。

信号を待っていた大きな交差点にはたくさんの人がいた。おじさんもおばさんも子供もおじいさんもおばあさんも若者たちもみんなごちゃごちゃになって立っていた。車も川のように流れていった。これからみんながそれぞれどこかへ向かっていくと思うと、その数に押されて気が遠くなりそうだった。でも私は今とりあえずひとりではなくって、昇一とお茶を飲みに喫茶店に行こうとしている、そのことにほっとしていた。隈さんに会ってなぐさめられたと同時に、あの三日月型の、赤くもりあがった傷跡が頭を離れない。

　自分の首のあたりまでなんとなくこころもとなかった。

「私は、もしも今度生まれかわったら、昇ちゃんの家の子になりたかったな。それで、若いうちは気の毒な環境にある子供のための仕事を夜も寝ないでぶっ通しでして、年をとったら仕事を減らして自分の家庭のために時間を使いたい。」

　私は言った。

「子供の頃に家族が壊れたら、早いうちに相談できる人がいれば少しはなんとかなるもんね。そういう子供が遊びに来られるサロンみたいなのを作りたかったな。」

「今からでもできるじゃないか。庭に関する仕事だって今からでもなれるし、やりたいことがたくさんあるんじゃないか。あ、僕の会社の経理もあったね！」

　昇一は優しく目を細めて言った。

「それに、うちのおふくろもそう思ってたみたいだよ。いろいろな若い人の相談に乗ったり、お店で働かせたりしていたよ。何人かはもちろん逃げたり消えたりしたけれど、何人かはまだ働いているし、遠くに住んでいるそういう人たちがお葬式にも来てくれたりした。子供の頃には他の家の子供にばかりつくしやがって、って焼きもちを焼いたけれど、おふくろの過去を思えば無理のないことだったんだなあ。あ、そこのお店でいい？」

「うん、なんかコーヒーが飲みたいから、お店に入ろう。」

私は言った。だんだん昇一といることに体がなじんできて、ふたりの行動に自然な流れができている。

お店の中はちょうどよい温度と湿度で、木の大きなテーブルに並んで座ったら目の前には花瓶があってきれいな花が活けてあった。

「でもなんかそんなつまんない夢、きれいごとっぽい夢を自分が持つなんて思わなかったな。」

私は言った。

「私が人のためになりたい、なんて思うなんて、とても信じられないわ。」

「どんな仕事だって人のためにやるんだろう、結局。」

昇一がさらっと言った。

「またさらっと健全なことを言うんだから！」

私は笑った。

「僕自体が、おやじとおふくろの夢だったんだから仕方ない。そうふるまうように教えられたからではなくって、僕は生きているだけでだれかの夢そのものなんだ。それを知ったら、健全にならざるをえないよ。」

昇一は言った。

「いいなあ。」

私は緑の葉っぱを見ながらつぶやいた。

「私もだれかの夢でいたかったな。」

昇一はなにも言わなかった。

そしてしばらくしてからコーヒーが来て、いい匂いがたちこめて、温かいカップからそれをひとくち飲んだらおいしかったので意味もなく幸せになり、なにをしゃべっていたか全て忘れるところまでいった頃、昇一は突然に言った。

「僕は正直に言って、おふくろがどうして会ってもいない由美ちゃんのことを死の直前にあんなに気にかけていたのか、さっぱりわからなかった。でも、今はわかるようになった。僕も悔やんでいる。どうしてあのとき、由美ちゃんをひきとらなかったんだろうって。でもまだ間に合うんだ。由美ちゃん僕と結婚しよう。」

私はあまりにもびっくりして黙り込んだ。そして言った。

「このマザコンめ。すみからすみまでマザコンなんだから。」

昇一は笑ったけれど、自分のしでかしたことに照れたらしく、顔が赤かった。

「考えておくね。だって昇ちゃん早寝早起きなんだもの、合わないわ。」

私は微笑んで言った。

それもいいね、という選択肢ではあったけれど、それもいいねのひとつくらいで充分かな、そんな気持ちだった。

それでも突然世界が色を鮮やかにしたので私は驚いた。立ち働く従業員さえもみな美しく見えたし、目の前にあった植物の色が突然に濃く輝いて見えた。大きな窓から入ってくる光は急に神聖さを帯びた。だれかに必要とされる……こんなに陳腐な言い回しのこのできごとが、こんなにも人に影響を与えるなんて。

……神様、私が小さい頃は親も仲がよくそれなりにまともでした。私は愛されてかわいがられて育った一人っ子でした。やがてお金が入ってきて冗談みたいに豊かな生活も味わいました。親がおかしくなってふたりとも死んじゃったのは悲しかったけれど、恋愛もしたしセックスもしましたし、友達にも恵まれました。さらには今日はじめてプロポーズされました。だから、きっと天国に行けますよね？

きらきらした景色を見ながら、心の中でそう思っていた。このコーヒーを飲み終わるまでは、豊かな人生の夢を見させてください。

「昇ちゃん、明日、おばさまのお墓参りに行こうよ。」

私は言った。

「なんで、いいじゃない、もううちの中で写真に手を合わせたでしょう？　おふくろをいちばん感じられるのはあの場所だと思うけれど。」

昇一は言った。

「行きたいのよ。なんだかそれをしないと、気持ちの区切りがつかない気がして。私が住んでいたあのホラー映画みたいな実家に行っただけでは、暗くて淋しすぎるんだもの。」

私は言った。

「おばさまとおじさまのお墓に手を合わせて、きれいな空気を吸って、厄落としをしたいの。確か那須のほうだよね？　お墓。あっちに行けばまた山も見えるし、少し気持ちが軽くなるかも。」

「そういうことならいいよ。うちに泊まればいいし。」

昇一は言った。

「なんだったら今から車で帰ってもいいけど。」

「疲れてない？」

私は言った。

「今日はそんなに動いてないから、全然。」

昇一は言った。

「駅の近くにコナミヤがあるから、お菓子でも買って行かない？　お水とか。」

「そうだな、そんなにひんぱんに佐野でラーメン食べるのはいやだなあ。たまにだとおいしく感じるけれどね。」

「じゃあ、宇都宮で降りて餃子を食べて行く？」

「高速の出口から市内への道がいまひとつわからないなあ、ナビで見ようか。まあ時間次第だね。」

「なんだかまた少し、楽しい気持ちがしてきた。」

「そう来なくっちゃね。」

「隈さんに会ったら、気が抜けちゃった。」

私は言った。

「君の幸せが死んだ人たちにとっての幸せだよ。」

昇一は言った。

「そう思う人のほうが少ないと思う、人ってもっとどんよりしたものよ。どろどろして、自分でもわからないもやもやを幸せな人にぶつけるもの。」

「それじゃあ、言い直すよ。」

昇一は言った。

「君の幸せだけが、君に起きたいろんなことに対する復讐なんだ。」

「あ、かなりいい線になってきたみたい。」

私は笑った。


駅前の大きなコナミヤはとてもにぎわっていた。あの恐ろしい事件でいっとき人気が落ちたものの経営の仕方も地道なものに変わって、爆発的ではなくても安定してきて、信用はやがて取り戻されて、またうまくいくようになったのだろう。落ち着いた雰囲気のこぎれいなお店になっていた。いつのまにか果物や野菜も少しだけだけれど売るようになっていて驚いた。スープやコーヒーを飲めるカウンターまでできていた。店員さんたちはこの店の経営者に起きた血塗られた事件も多分知らず、かわいいエプロンをつけててきぱきと立ち働いていた。

「世が世なら、社長のおじょうさまがいらしたって、このおじょうさんたちがみんな私にひれ伏したはずなんだけれどねえ。」

チョコレートの棚を見ながら私が言うと、

「たとえ世が世でも、みんなそんなことはしないと思うよ。」

と昇一が笑った。

「すごいなあ、うちとは規模が違うな。もはや輸入食材店というよりは高級スーパーの規模だね。自社製品もたくさん開発しているようだしな。」

「そもそもおじさんは経営の才があったんだもん。はなっからおじさんにまかせればよかったんだけれど、変にインチキな占いで一発当てちゃったもんだから、ママもその気になりすぎたんでしょうね。魔女の教育を受けてない、苦労が少なかったおじさんにも負けたくなかったんだろうなあ。だって、おじさんってもともと離婚したおじいちゃんの家で育っているから、おばあちゃんの魔術の世界にさえほとんど接してなかったんだもの。ママたち双子だけがおばあちゃんと住んでいたんだよね。もちろん本来の小波家の人たちが経営にいちばんしっかり関わっているに決まっているけど、事件のあとおじさんはかなりいいところに食い込んだはず。でも、ママは死んでもおじさんに会社をゆずりたくなかったと思うんだ、本音では。」

私は言った。

「でも、その呪いは通じなかったみたいだね、こんなに成功してるし。」

昇一は笑った。

かごの中にはお菓子がいくつかとオリーブとワイン。まるで普通のカップルの買い出しみたいだった。この時間こそが積み重なって人生を作る血や肉となり、抽象的にもいちばん大事なものなのだと、私にはわかってきていた。ここにこそいちばんの魔術がつまっている。おばさまはそれを知っていた。知っていたことを共有して、おばさまをとても近く感じた。ほとんど体の内側にいるみたいに。

「それがママにオカルト的力も実はあんまりなかった証拠じゃないかしら。私はおばさまのほうが、魔女としてきっと上だったと思う。今回のことも……おばさまの力が強いからこんなふうに運んでいるのよ。」

「それはそうだろうね、ほんとうに力がある人なら、あんなふうに人を殺したりしないはずだから。」

昇一は言った。

実際に人を殺した人を私たちは身近によく知っている、そのことは何度考えてもはっとすることだったし、この清潔で明るい空間に全くそぐわなかった。どんなときでも食べ物や飲み物を買っている人たちは、そのときだけはとても幸せそうに見えるものだ。まるではっきりと行く先が、彼らの人生が見えているかのように。

「ほんとうにあったこととは思えないよね。ゆがんだ空間の中でうっかり起きてしまったことみたいな。」

私は言った。

「このことがなんとなくおさまって、もし君がいなくなって、おふくろもいなくて、そうしたら僕はどうやって生きていったらいいんだろう?」

唐突に昇一が言った。

「弱っちいなあ、なに言ってんの。」

私は笑った。

「そんなこと思うことはあってもロに出す男ってはじめて。大丈夫だよ、昇ちゃんにはまだお店があるし、おばさまが守ったその素直な性質があるじゃない。体ひとつあれば昇ちゃんはやっていけるように作られているよ。」

「うん、なんだか久しぶりに……不謹慎だって知ってるけど、今が楽しくてさ。なんかこわくなってきたんだ。」

昇一は言った。

「わかる、わかるよ、その気持ち。」

私は昇一の腕に手を回した。

「だったら、とにかく楽しもうよ。」

「いいね、君は。そういうところが。」

昇一は言った。

「ずっとそうやってごまかして生きてきたんだもん。」

私は笑った。

「そういうことの良さくらいは大事に抱っこして持っていないとね。」

私は今だって、いろんなことに気づかないふりをする。

毎日、体が触れるたびに少しずつ熱くなっていく昇一の微妙な気持ちの変化に。昇一はきっとまだ気づいていないし、それどころではない。ちょっと自分の行動全部に酔ったような感じになっているけれど、これは昇一がこのところ過ごしてきた厳しい季節からちょっと休みを取っているバカンスのようなものだからなのだ。責任からも連絡からもしがらみからもこれからのことからも切り離された実在しない時間だ。

もちろんこの期間は私にとっても同じ意味を持っている。気づいているというだけで、未来がないということが圧倒的に、もう自明のこととしてわかっているだけで、バカンスであることにはかわらない。ただこのバカンスに連れてきてくれた懐かしい人でもあるスポンサー、おばさまと昇一に感謝し、冷静に、でも愛おしく思っているだけだ。どう考えてもひとりでは選ばなかったであろうけれど、いちばん選ぶべきだったことがわかっていなかった行く先だったからだ。

心が静かになるということは、落ち込むことでも不必要に明るくなることでもない、たとえるなら寒い日に温かい家の中から見る雪景色のようなものだということがわかってきた。いつもと違う光のかげんで世界は均質に美しく明るく見える。太陽の光はなくてもなにもかもが落ち着いた明るさの中にある。

あーあ、もっといいかげんでいたかったなあ。

いつまでもふらふらしていたかったなあ。

いつまでも自分を世界一ついていないかわいそうな人だから、なにをして遊んでいてもいいと思っていたかったなあ。

でもそうはいかないよね、だれかが眠り姫を起こしに来るんだよね、ものごとはそう決まっているんだよね。だからこうして、心配がなにもないみたいに思える、すてきなお祭りの日々もあるってことか。

そんなことを思いながら、コナミヤの中でずっと昇一と寄り添っていた。このことが人生に対して私のしたいちばんの復讐かもしれなかった。ちゃちい復讐だけれど、心は満たされた。奪われたものをみんな、このコナミヤの中で取り戻しているのだ。

「さて、まだ少し時間があるけれど。」

昇一は言った。

「那須に帰る前に行きたいところはない？」

私は答えた。

「私、実は、パパのお墓参りにも行きたいの。」

「ああ、そうだね、そうだね。」

昇一はそう言って光の射す商店街を背景に大きな笑顔を見せた。

私はほっとして、もうなにも言わなかった。そして花屋を指差して、

「お花を買っていきましょう。霊園の入り口に売っている仏花はあじけないから。パパは派手な色のお花が好きだったの。まるでママみたいに派手な。」

とだけ言った。


パパのお墓は都内から少し離れたところのだだっ広い公園のはじっこにあった。丘もあり、せせらぎもあり、古い大きなお寺ももちろんある。うっそうと茂った杉や松の木の林がえんえん続いているところにいくつかの出店があり、散歩する人や子供連れの主婦たちがゆったりと午後の陽射しの中を歩いていた。

墓石群を照らす少し西に傾いた光は透明で、あの世みたいにきれいだった。

ママはもともとパパの家のお墓には入らないと言い張っていて実家のお墓に葬られたので、この墓地の中にある立派なお墓にはパパの家系の人たちだけが眠っていた。私はそのことに少しほっとした。迷路のような小径を歩き回って、昔ながらのゆったりした区画のさまざまなお墓を通り過ぎて、パパのお墓にたどりついた。

私たちは黙って草むしりをして、お水をかけ、お線香をあげて、パパの好きな色とりどりのお花を飾り、手を合わせた。

パパ、もう会いに来ることはないと思います。気がすみました。ママに殺されるなんてとんでもないことだけれど、パパは別にそれがいやじゃなかったんだよね？　私はパパを助けてあげられなかったことを後悔しなくていいんだよね？　パパが選んだ人生なんだよね？

問いかけているうちに、ふっと思った。

私はほんとうにずっとイタリアにいたのだろうか？　あの日、荷造りをして行きたかった気持ちが残っていて、私にそう思わせているだけではなかっただろうか？　そのあとの人生があいまいなのは、トラウマなんかのせいではなくって、もしかしてそもそもなくって……。

だって私は……。

そのとき、信じられない、ものすごくこわい画面が私の頭の中いっぱいに広がって、私はなにもかもを思い出した。

思わずぎゅっと目をつぶって、それから目をあけると、となりには昇一がいて、お墓に手を合わせていた。

「昇ちゃん。」

私の声は震えていた。

「とても信じられないけど、ここは現実じゃない。私、こういうことがあるのを聞いたことがある。」

「なにを言ってるんだ。」

昇一が言った。私の手をぎゅっと握って、

「これが現実でなくてなんなんだ。」

と言った。

「だって、パパのお墓はこんなきれいな公園の中にあったかしら？　いや、そうかもしれないけれど、こんなにいろんなことが順番に進むことがあるかなあ。あっちの丘にはあんなにきれいに、いっぱいのすすきが銀色になびいていて、ほら、あの見事な揺れ方を見て……よく考えたら全部が変なのよ。」

景色が全部突然に舞台装置のように、はっきりしすぎて見えた。いろいろなことがこんなにあっという間にとんとんと進んで、こんなにきれいに完璧にイメージ通りなんておかしい、そう感じられた。

「気がすんで、少しおかしくなっているんだよ、君は。」

昇一は言った。

「ううん、だったらとってもいいけれど。」

私は力なく微笑んだ。

「でもね、ここは夢の中なのよ。ああ、わかった。多分おばさまではなくって、あなたの夢なんだ。」

「そんなこと言われたって、僕にはどうすることもできないよ。君が言い出したことを、とても信じられない。」

昇一は言った。

「私も……私もどうすることもできない。どうしたらいいんだろうか。」

私はつぶやいた。

この怖さと震えがおさまって、気持ちが落ち着いてきたら考えよう、そう思った。

「百歩ゆずって、ここが夢の中だとしよう。」

昇一が言った。

「でも僕は今ここで生きている、君も確かに目の前で生きている。ここにいる。それ以外のことはなにもない。」

そして私の手をもう一回ぎゅっと握った。

高いところを強い風が吹いているのか、まわりの高い木々の枝が上のほうで大きく揺れて、不思議な笛のような音がしていた。光の金色がどんどん強まり、景色の明暗がくっきりとしていた。はるか遠くに細い三日月が見える。きれいな空気の中には乾いた木と落ち葉とお線香の甘い匂いと、さっき活けた花たちの濃い香りが混じって漂っていた。昇一の目の中に私が映っていた。確かに私がそこにいた。心細そうに昇一を見ている。それでいいのだ、私はそう思えた。これ以外のものは今ないのだ。

私が……たとえどんな死に方をしたとしても。

なんてついてないんだろう、私は、そう思った。そう思って昇一にだらしなく抱きついたら、昇一は私をぎゅっと抱きしめた。あたりにはだれもいなくて、いくら泣いてもいいのに私はもう泣けなかった。なんてついてないんだ、私は、おばさまに同情されるにふさわしいわ、そう思い続けていた。

お墓を後にして車に乗り込み、私たちは東北道をひたすら飛ばして、三時間くらいかけて那須に戻った。運転はずっと昇一がしてくれた。私はなにも話したくなくて、ただ窓の外を見ていた。いろいろな車、だんだん見えてくる畑や山々。川の流れ、土手に集う人々の色とりどりの服。だんだんとつきはじめる明かりや看板の色。なにもかもが夜に向かっていく光の感じ、次第に色を重ねて濃くなっていく空の青。とてもきれいに見えた。私の目がきらきらしたものしかとらえなくなったみたいに、世界は祝福に満ちて見えた。

おばさまのいないおばさまの家、電気のついていないそこに着くのはやはり淋しかったけれど、だれもいなかろうと、私の実家よりはずっとましだった。まるでおばさまがいないことが単なる不在に過ぎないかのように、家の中の雰囲気は変わらず保たれていた。

「よし、今夜は俺がまじめにごはんを作ろう。チキンパエリアとトマトのスープだ。前菜はさっきコナミヤで買って来たポテトチップスだ。お酒もさっきコナミヤで買ってきた奴でいいや。」

昇一は言った。

キッチンでの立ち回り方に慣れているように見えたので、ソファに座ってスパークリングワインを氷で冷やして勝手に開け、それを昇一のグラスにもそっと注ぎながら、私はたずねた。

「お料理をずっとしてきたの？」

「料理ってほどでもないよ。今日だって冷凍の鶏もも肉と缶詰としなびたタマネギでてきとうにつくるんだもの。トマトだって缶だし。飲むためのワインをこうして料理にも使っちゃおうとしているし。いいかげんだよ。」

昇一はシンクの下の整頓された棚から缶詰を出しながら言った。

「でも高校のときは自分の弁当は自分で作っていたよ。男のドカ弁。肉とタマネギを炒めてごはんに乗せただけ、とかそういう感じで。」

「えらいなあ。」

私は言った。

「進路が決まっていたからかもなあ。」

昇一は言った。

なんでそんなにいい子ちゃんなの？　とまた聞きたくなったけれど、その質問をずっと持っている私こそが、幼児の頃から全く変わっていないということがわかるだけだから、聞かなかった。

「手伝おうか？」

私は言った。

「切ったり煮るだけだから、いいよ。パエリア調味料セットもあるし。米までついてる。」

昇一は言った。

「輸入食料品店の家はそういうものがたくさんあるんだ。知ってると思うけれど。」

「そういえばうちにはワインセラーがあったなあ。」

私は言った。

「取りに行けって言われて適当に取ってくると、いつも高いワインばっかりで、親がげらげら笑ったものよ。筋がいいのか、浪費家なのか、親に意地悪しているのかわからないわねえ、ってママに言われた。それでパパがもう一回そのワインを置いて、もっとお手頃なワインを取りにワインセラーに降りて行くの。今になったらくやしくって、高いワインばっかりみんな飲んじゃえばよかった、って思うけど。まあ子供だったしね、飲めないか。」

ひんやりとした暗いあの空間と、並んだ瓶の輝きを思い出す。いろいろな国のいろいろな地方の、美しいラベルたち。いつかどの国にも行ってみるのだと思っていたけれど、どうしてかイタリアにしか行けなかったなあ。記憶はあいまいで、なんでも起こったような気がする反面、なにも起きなかったという確信さえある。

でも子供のとき初恋の人の家の農園で、光に包まれたオリーブ畑を見て感動したのは確かなこと。雲の影が畑を横切っていくさまを息を飲んで見つめたことも、この世にはこんなきれいな場所もあるんだ、と思ったことも。

「君の家族に楽しいこともあって、よかったと思う。」

昇一がにんにくとタマネギを炒めながら言った。いい匂いが部屋中に広がって、私はいっそう幸せを感じた。

「うん、そうなの。」

私は言った。

「今となっては楽しいことだけをたくさん思い出すのよ。」

ママが私のために小さいエプロンを縫ってくれたこと、それがママとおそろいだったこと。いつしかママは台所に立つこともなくなって、そのエプロンは壁にずっとかかっていた。私はひとりでそれをして、クッキーを作ったりオムレツを焼いたりした。私のエプロンだけがどんどん古びていって、ママのはきれいなままだった。そしてある日、ママは両方いっぺんに捨ててしまって、もうエプロンはすっかりなくなってしまった。

私がそれでちょっと泣いたことなんか、だれもおかまいなしだった。

昇一の後ろ姿はまっすぐで、武道をしている人特有の柔らかい立ち方をしている。私はその肩の動きを見て、いいなあと思う。ゆがんでいないのはいいなあと。

メスを家に連れて来て、なにかおいしいものを食べさせて、心地よくさせて、動けなくさせる。他の男のところよりも自分のところが住みごこちがいいということを思い知らせる。いつまでも自分のメスを確保していくために、食べ物をとってきて、きちんとケアして、メスだけが持っている暗黒の力をずっと自分の手のうちにとどめておく。私は私でメスなので、そんなずるいことをそのまま受け入れられる。

実際は本能のまま、まるっきり動物と同じなのに、人間だからそこに品良さをかぶせて堂々としていられる、それがこの世での真っ当ということなのだった。

私の仕事は、ワインを飲んでポテトチップスを食べながら、それに気づいてないふりをしてつんとしているだけ。もうはっきりと、手でこねて形を作ったものみたいに、ふたりのあいだには計算ができている。目に見えるようだった。いずれにしても今日は貴重な夜である、そんなことが。そしてそんなことをおくびにも出さずに過ごすことが、今のふたりにいちばん重要なことだった。

スパイスが本格的だからか、料理の筋がよいのか、昇一の料理はおいしかった。

ワインをゆっくりと飲みながら、私たちは暗い話をほとんどせずに、目の前のごはんの話や明日行く温泉の話ばかりして、静かに過ごした。

「昇ちゃん、いっしょに寝よう、なんだか心細いの。」

食後のコーヒーを飲みながら、私はさらっと言った。

「いいよ。」

昇一はあっさり言った。

「でも、私、なんだか今すごく傷ついていて、ショックを受けていて、だからなにもしないでくれる？　ひどい、無理なこと言ってる？　でもどうしてもこわくてひとりで眠れないの。寝たら消えてしまいそうで。」

私は言った。

「しないよ。だいたいさ、僕、おふくろが死んでから疲れちゃって、力が抜けちゃって、性欲なんて全くないもん。」

昇一は笑った。

「それにもしそんな気持ちになるとしても、急すぎるよ。もっと長くいっしょにいないと、そんなことできない。恥ずかしくて。」

「よかった。」

私は言ったが、気持ちは晴れなかった。長くいっしょにいることはもうありえないのだから。

昇一の作ったごはんを、幸せをかみしめるみたいに食べた。いいなあ、好きな人の作ったものはなんておいしいのだろう。お手伝いさんや料理人がお仕事で作った味とは違う。さあ、いっしょに食べよう、この同じ素材で体を創っていこう、続けていこう、という味だ。てきとうに作っていても、確かな中心がある。私はこういう味のものを食べないで育ってしまったのだなあ。

酸っぱい味も塩味も、もうこの世にないはずの私の骨のずいまでしみてくるようだった。


昇一のベッドの下にふとんをしいてもらって昇一の部屋でいっしょに寝ることにした。この土地のきれいな空気にもすっかり慣れて、自分の家のようにくつろいでお風呂に入った。窓からの景色もなじみ深く感じられたし、星ぼしは変わらずに遠く輝いていた。おとぎ話の中みたいに、きらきらまたたいて。

なにもう考えられず、とても静かな気持ちでいた。

私が湯上がりに本を読みながらふとんでごろごろ寝ていたら、シャワーを浴びた昇一がはだしのまま部屋に入ってきて、よいしょ、と私のふとんをまたいでベッドに寝転んだ。

私は立ち上がって電気を消した。

「なんだか、看病されてるみたい。」

ライトひとつの薄暗い部屋のベッドの上で昇一が言った。

「この段差がまさに看病の感じよね。」

私は言った。

昇一の部屋は床暖房になっていて体の下がほんのりと温かく、部屋全体もまるで包まれているように柔らかい温度だった。

「でもさ、昇一はきっとほんとうはそんなに優しいわけじゃないんだよね？」

私は言った。

「不器用な普通の男なんだよね。夢の中だから、あなたがほんとうはこうありたいというあなたになれているんだよね？」

「またその、夢っていう話？」

昇一はいやそうに言った。悲しい話だということを、本能的に察しているのだろう。

「でもたしかに、由美ちゃんといると、どうしてこんなにさっと親切にできるのだろう、とは思っているよ。照れたり、意地をはったり、自分のことでいっぱいになったりは、なぜかしないんだ。きっとほんとうの意味でおふくろを共有しているからだろうと思うな。おふくろのことをほんとうにわかっていたのは、君のお母さんと君だけだと思うんだ。」

「もう一回だけ同じこと言うよ、『マザコン！』」

私はそう言って、笑った。

部屋の電気はまだついたままで、たまに起き上がってお茶を飲みながら、そんなたわいのないおしゃべりをしていた。

「昇ちゃん、ごめんね。やっぱり、私、生きてないの。もう死んでるの。」

私は言った。口からすうっと言葉が出てきた。もっとひっかかるかと思っていたのに、なめらかに悲しくその言葉は響いた。その声の響きが美しくさえあったので驚いた。

「なに言ってるんだ？　夢よりも悪いぞ。」

昇一は言った。

「信じられないよね。でも、そうなの。ごめんなさい。」

私は言った。

「私は幽霊で、これは、全部、あなたの夢の中なの。」

「そんなわけないだろ、運転したり、飯食ったり、ホテルに泊まったり、人と会ったりしたたろう。」

昇一は言った。私は続けた。

「現実だって、そんなこと言ったら夢といっしょだよ。あのさ、小島さんにも実際は会っていないよ。きっと。私、おかしいなと思ったの。だって、クリニックの庭と、私の実家の庭が混じっていて、同じところに同じように薔薇のつるがからまっていて、同じクレマチスが茂っていて、おかしいと思ったのよ。」

「それはどこにでもある植物だからだろ。」

昇一は笑った。

「隈さんはどうなのさ。」

「あの人は不思議な力があるから、きっと会っている途中で、夢の世界に自分が入っているってことがわかっていたはず。あの人は行き来できる人なのよ。だから現実の世界のあの人は、私に会ったことを覚えているはず。目が覚めたら、彼女をたずねてみて。きっと、あんなような部屋に彼女はいて、そして私たちとの会話を覚えているはずだから。それが唯一の証拠かもしれない。私たちが数日いっしょに過ごしたすてきなことの。」

私は言った。

やっとふに落ちた。隈さんが言っていたこと……自分はここにいるのがやっとだということ。おばさまが私を引き取らなかった理由を今は言えないと言っていたこと。それはそうだろう、死んでいたら引き取りようがないもの。私が楽しそうに昇一と過ごしていたから、まだそっとしておいてくれたのだろう。

おばさまもそうだ。昇一を通してなら、なんとか私に会えると言っていたではないか、さまよっている私を元にもどすことができると言っていたではないか。ああ、そうだったのか。みんながはっきりとは言えなかったことは、私が忘れていたことは、そういうことだったのか。

「うそだあ。ありえない。また人に優しくされちゃったな。」

昇一は言った。

「まあ、いいけどさ。でもほんとうにごめんね。」

「百歩譲って、夢の中で会っているとして、なんでさ、あやまるのさ。君悪くないじゃない、一個も。」

私は言った。

「だって今いるここはどう考えても僕の部屋だもの、現実の。」

昇一は笑った。

「あなたとこれからもずっと仲良くいられないこと、せっかく親しくなったのに、いっしょにいられないこと、あやまりたいの。」

私は言った。ちょっとだけ涙がにじんだ。

「それは、ショックすぎるなあ、なによりも由美ちゃんが今そんなことを言っている意味を、少し考えさせて。ここしばらくは僕にとってもおふくろが死んでから唯一幸せな時間で、夢みたいにふわふわして毎日楽しい感じがしていたから。」

昇一は言った。

「だからみんな夢なんだって。私はね。」

私は言った。そこはさすがになめらかにはいかず、つばをごくんと飲まないと言えなかった。

「ママに、切られて、殺されたの。あの自分の部屋で。壁についていた血のしみは、私の血なの。」

荷造りをしていた私の耳に、おそろしい物音が聞こえてきた。

私はケンカでも始まったのかとこわくてしかたなくなったし、めんどうくさかったので聞こえないふりをしてそのまま荷造りをしていた。それは記憶の通りだった。明日の朝には飛行機に乗って好きな人に会いにいくのもほんとうだった。そんなときにもめごとは困る、と思った。音楽を大きくして、物音が静まるのを待った。パパの怒鳴り声か叫び声がわからない声が響いても、誰かが家を出て行った音がしても、無視し続けた。ほんとうはただごとでない状況なのはどこかでわかっていたけれど、どうしても考えたくなかったのだ。

そして階段を上ってくる音が聞こえて、ついにだれかが私の存在に気づいてくれた、よかった、と思ったら、鍵をかけていたはずのドアがすごい力でバンと開いて、ママの顔ではない、おそろしい顔になったママがなにも見ていない人形みたいな目をして立っていた。まるでホラー映画みたいに、血のついたナイフを持って。そしていきなり切りつけてきた。

そんなことあるはずない、そんなこと信じられない、そう思ったのが最後の瞬間だった。そのあとのことはなにも覚えていない。どこで死んだのかもわからない。病院かもしれない。

昇一の夢の中の私が作った私の青春以降がみんなあいまいなのはそのせいで、多分こうであろう、というものをてきとうに継ぎ合わせて私の無意識が作ったのだろうと思う。

「やめなよ、そんなこと言うなよ。」

昇一は言った。

「電気消すよ、もう寝よう。由美ちゃんは疲れ果ててるんだよ。」

「うん、そうだよね。」

私は言った。

昇一は立ち上がって電気を消した。パジャマのすそがあがっておへそが見えた。

「寝るときは、かっこわるくてもパジャマのすそを中に入れた方がいいよ。」

私は言った。

しっかりしている彼に、私が唯一できるアドバイスはそのくらいだった。

あと、マザコンを前に出しすぎないように、かな。

「ちょっとだけぎゅっと抱いてもいい？」

昇一は言った。

「いいよ、でも約束は守ってね。幽霊とやっちゃだめだよ。」

私は言った。

「言うことにいちいち夢がないなあ、いや、むしろありすぎなのか？」

昇一は首をかしげて、ベッドから降りてきて、私をぎゅっと抱いた。

私は黙って昇一のパジャマのすそをパジャマのパンツの中に押し込んだ。

「悲しいこと言わないでくれ。」

昇一は言った。

「こんなに確かなのに。ここに、温かい体があるじゃないか。」

「ごめんね。」

私は言った。そして彼の唇にちゅっとキスをした。

「このくらいはいいとします。」

「なんで君が決めるの。」

昇一は言って、私にもうちょっとしっかりとしたキスをした。

でもそれ以上はなにもなく、ふたりの息も荒くはなかった。彼はもう一回私をぎゅっと抱いた。輪郭を確かめるように。

「女の体に触ってると安心する。」

昇一は言った。

「それはよかったわ。」

私は言った。私こそが彼の体のかたさや大きさ、胸の鼓動に安心していた。こんなにぎゅっと優しく人に抱かれたことは、私の生涯ではきっと赤ちゃんのとき以来、数えるほどしかなかったに違いない。しかもそのほとんどが昇一からもらったものかもしれない。

「一個くらいいいことができたみたい。」

「君はすばらしい人だよ、由美ちゃん。」

名残惜しそうに、べりっと音がするような感じで私から体を離して昇一は言った。

そしてそれぞれのふとんに入って、昇一が上からたらしている手をつなぎあって眠ることにした。

「おやすみ。明日はおばさまのお墓参りと、そのあと温泉に連れて行ってね。」

叶わない約束を、私は口にした。

でも明日がある気持ちになった私にほっとしたらしく、昇一は嬉しそうに、

「うん、お参りしたあと、鹿の湯に行こう！　タオルだけ持って身軽に行こう。」

と言った。

そしてしばらくしたら彼の手の力が抜けて、すうすうと寝息が聞こえてきた。こんないい人な上に、寝付きもいいなんて、全く無神経で憎たらしい。

そう思いながら、私の意識もだんだんと眠りの世界に入って行こうとしていた。カーテンの隙間から星が見えていた。月も細く輝いている。エアブラシで描いたみたいに細く、真っ黒の中にすうっと。

私はどうなるのだろう、そう思いながら、意識がなくなった。

次に起きたら、目の前におばさまがいたので、ものすごくびっくりした。

そこには椅子もテーブルもお茶もなく、地面もない霧の中みたいな感じだったけれど、私たちは並んで座っていた。

「おばさま、私ったら、昇ちゃんとチュウしちゃった、ごめんなさい！」

私は言った。他に言うことがあるだろうと思いながらも、恥ずかしくて早く言ってしまいたかった。どうせおばさまにはお見通しなのだと思ったのだ。

「いいのよ、あなたはほんとうのチュウも知らなかったんだもの。」

おばさまは微笑んだ。

「昇一もバカね、好きな女を押し倒せないなんて。」

「おばさま、私の知ってるおばさまと少しキャラクターが違うみたい。」

私は言った。

「昇一の夢の中では、昇一の憧れの私が全面に出てしまうからね。まったく男の子なんてかわいいものよね。あんな私は私じゃないわよ。でもね、やっぱりそういう幻想は嬉しいものよ。」

おばさまはふふふ、と笑った。

「おばさま、私まだお墓参りもしてないの、時間はあったのに、ごめんなさい。」

私は言った。

「そんなことより、今会えてるんだから、いいじゃない。」

年は三十歳くらいに見えた。おばさまは美しく、透けるような肌ときつい瞳を持っていた。やはりママに似ていて、私はママに会いたくなった。殺されたことを思い出したのにまだ会いたいなんて、どうかしている。きっと私はママに永遠に片想いなのだ。

「遅かれ早かれ人は死ぬから、どういう気分で生きて死んだかはとても大事だと思うんだけれど、私は死ぬ直前に気づいたの。ああ、今なら夢の中に入る技法ができるかも！今しかできないことだって習ったっけ、って。そうしたらさまよっている由美ちゃんの魂を連れてきてあげられるって。目の前がぴかーんと輝いたわよ。瀕死なのにやり方が書いてあるノートを探したりして、這っていって引き出しの中を探して、後片付けはできなくて昇一にしてもらったりしたわ。肉体に制限があるって、今思うとおかしいわ。あんなちょっとしたことができなかったなんて。でもこうして会えたんだから、できたってことなんだものね。ほんとうによかったわ。私は最後まで腕が鈍ってない魔女でいられたのね。」

おばさまは満足そうなたっぷりした微笑みを浮かべて、細めた目をきらきらと輝かせてうなずいた。

「由美ちゃんは、別に恨んでるわけでも、死んだつもりがないわけでもなくって、でもあまりにもびっくりして死んだから、魂がぽんと出ちゃって、変な、時間のない場所にいたのよね。私はそれを知っていて、それからあなたを早く引き取ればよかったって思って、ほんとうに一生後悔していたので、そうだ、今ならできるって思ったの。あなたのおかげで死ぬことがちょっと楽しかったわよ。やることがあっていっそ待ち遠しいような感じさえしたわ。ありがとうね。」

おばさまは言った。

「なんでそんなにさばさばしているんです?」

私は言った。

「いや、昇一のことを思うと、すごくじめじめしているわよ。会いたいなあ、もっといっしょに暮らしたかったなあ、孫も抱っこしたかったなあって。いくらでも愚痴や執着が出てくるわ。でも、きっと、私の人生もあのおそろしかった降霊会のときにある意味では終わっていたのよね。そのあとにあんなすばらしいことができただけでも、昇一と暮らせただけでも、ありがたく思うわ。だってほんとうに楽しかったのよ。あなた、あの、おかしなクリニックに行った？」

　おばさまは言った。

「行きました。記憶があいまいで、完全に行ったとは言えませんけれど。」

　私は言った。

「あの院長をはじめに誘惑したのは私だし、あの中にいるときもうさっさとそく寝たし。まあかなり単純な人でね、赤子の手をひねるよりもずっと簡単だったわ。おねえさんに、院長とつきあうようにしむけたのも私だし、退屈して毎日おねえさんといっしょに、おままごとみたいにして、あのクリニックにいる全員を殺す空想をしたりしていたのも、私。私って、とにかく最低の人間だったのよ。まあだれしも思春期には、ああいう残酷なことや人の心をもてあそぶことにひかれることは必ずあるのだけれどね。ちょっと度を超していたわよね。そして、私の影響を受けすぎてしまったおねえさんがすっかりおかしくなってしまった。」

　おばさまは言った。

「それから後の人生で、邪悪な子供だった自分のしたひどいことの尻拭いをしてきたつもり。まあそれがえらくたいへんな道のりでさ。悪魔が天使のまねごとをしてるような感じだったわよ。なにもはしょれないし、なにをしようと偽善的に思えるし、もどかしいし。でも、そんなことが私に内在していて、昇一に影響がいかないはずがなかったのよね。昇一はどうしてかわからないけれど、小学校に入ったくらいのとき、しばらく学校に行かなくなって、ものすごく綿密に、架空の国をつくる遊びにのめりこんだの。その国の地図を毎日絵に描き、そこで昇一が住んでいる家を間取りまで細かく描き、通貨の単位を考え、誰も死なず、悪い人がいない設定で、良い魔女は普通にいるんだけれど、悪い魔女になることは絶対に禁止されているの。でも、出てくる人たちは何人かどうしても悪い魔女になりたくて、国を出て行ってしまうの。」

そして深いため息をついた。

「昇一には深いところでわかっているんだ、彼も傷ついているんだ、と私は感じたわ。ほんとうに大丈夫な人なんて、いないのよ。ほんとうに健全な人もね。そうふるまっているだけで。でも、すごく体調が悪いときにはささいなことが大変に思えるのと同じ分量で、そういうふうに良きものとしてがんばってふるまう体力や気力ってものが、結局は人類の存続を支えてきたんじゃないかしら？」

十代の頃の不安定で邪悪な美しさよりもきっと、命を全うした今の彼女のイメージは美しいだろうと私は感じた。薔薇のようだ、と私は思った。薔薇のまわりにはいつも生々しい光がうずまいているように見えるけれど、まさにその感じで、私はおばさまにひたすらみとれた。

これじゃあ、マザコンになってもしかたないや、そう思った。

まず覚悟を決めて、そのことを面倒でもばかばかしく思えても静かに実行してきた人特有のむだのなさにほれぼれとした。

この人はこの人の人生を最後の一滴まで生ききったのだなあ、と思った。

十代の邪悪な美しさ、触れば切れるような残酷さのままで六十代になれる人はいないだろう。過去を捨てたおばさまの魂は丸く大きく磨かれてきたようだった。その努力は直感にしたがっているだけのものだったけれど、決して間違っていなかったのだと私は思った。

「それでもねえ、ちょうどこつこつと石をつんでいるような、壁を塗っているような感じで、はじめは面倒でいやでいやでしかたなくても、だんだん楽しくなってきたのよね。重ねているうちに。

庭に植えたちっぽけなジャスミンが大木になって真っ白い花を咲かせて、毎年あたたかくなるとそこいら中にいい香りをふりまくようになった頃には、私の、ウソで塗り固められていたはずの善人人生ももうあとにひけないところまで育っていたのよ。だから、あなたのことだけは、ほんとうに悪かったと思っている。あなたを救えなかったことは私の人生で唯一の悪しきカルマだったのよ。

私、何回か電話したの。あなたが出たら『あのメモはまだ持っている？　いつでも来ていいのよ』って言おうと思って。でもいつもおねえさんが出るかお手伝いさんが出てしまって、電話を切った。おねえさんは気配で私がわかるから、もう全部おしまいでしょ、ばれちゃったら。今思えば、なんでもかんでもやってみればよかったと思うけれど、そんな言いわけ、あなたの人生に対して失礼よねえ。重く受け止めて、ほんとうに反省することしか、私にはできなかったな。

あなたの家にはあの頃、いろいろなまじないがかかっていたから、それを超えていく力が私にはなかっただけかもしれない。まじないを知っている私には、まじないがいっそう効いてしまうのよ。そういう仕組みなのね。それにあなたのお父さまがいい人だったのが、かえってあだになって事態の深刻さを外にもらさなかったのよね。

だからあなたが死んだと聞いたとき、私の中で何かがばーんと割れた音がしたのよ。その音は、後悔の音。読みまちがえて、やれることをしなかった自分への戒めの音。それは一生耳から離れなかったし、昇一が育っていくに連れて、それはいっしょに育って大きくなっていった。私はまだまだだめだ、弱音を吐いている場合じゃない、いつだってそう思っていたのよ。あなたの死が私の人生を支えていたのよ。あなたの存在が、私に、願っていた人生を全うさせてくれたの。

それでもやはり悔いていたことを、こんなふうにすばらしく解消させてくれて、ありがとう。あなたのお父さまが大丈夫そうに見えたのと同じで、あなたの魂はあまりにも素直で、かわいらしくて、ほんとうにすばらしいから、私、おねえさんがだめになってしまっているって、本気で疑うこともなかったのよ。こんな素直な、かわいい子が育っているんだから、おねえさんの中身もどこかではなんとかなっているのだと思ってしまったのね。

もしも輪廻転生というのがあるのだったら、由美ちゃんは次はきっとうんと幸せな普通の家の、普通に幸せな赤ちゃんとして産まれてくるよ。もしもあればだけれどね。私もたいした魔女じゃないから、もうこれ以上、死ぬときのエネルギーではもたないから、すぐ昇一の夢から出て、どこかへ向かうんだけれど、それがどこだか全く知らないからね、なんの保証もできないけれど。」

「いや、私は、ただついてなかっただけで。おばさまの命をかけた親切のほうが、よっぽどすごいですよ。」

私は言った。

「だって、この数日間、ほんとうに楽しかったですもの。お風呂の温かさ、ごはんのおいしさ、旅の楽しさ、音楽の美しさ、空や風の具合、優しい昇ちゃん、みんな忘れません。人生でいちばんいい思い出でした。ありがとう。生まれかわるなんてことがもしもあったら、いいなあ。また、あんなことができるんだ。」

「きっとあるわよ、あると思いましょう。」

おばさまはにこにこ笑った。明日はピクニックよ、というような調子で。

明日はピクニックよ。あまり遅くまで起きていないでわくわくしながら寝ましょう。天気予報は晴れと言っているし、よく干したふとんは今夜ちょうどよくふっくらしているし、みんな体調もいいし。サンドイッチとおにぎりと卵焼きとウインナーと果物とケーキの用意はすっかりできていて、あとはさっと作ってかごに入れるだけ。木陰に座ってきれいな景色を見ながらビールやワインを飲んだり、お湯を沸かす道具をきちんとそろえてみんな持っていって、よい豆もひいていって、汲んできたわき水でおいしいコーヒーをいれましょう。

そういう感じだった。

「そうか、ピクニックそのものよりも、そのイメージで人は活気づくんですね。イメージが全てなんだ。でも、イメージ以上のものを知るには、今の瞬間にぐっと参加することしかないんだ。私がこの数日間昇ちゃんの夢の中で体験したのは、そのことだったんだ。」

私は言った。

「急になんなの、由美ちゃん。」

おばさまは笑った。ひまわりみたいに。

「っていうことは、私の想像の人生も、今回の旅も、現実にあったことと変わらないんだ！　そんなに悪くなかったんだ、きっと。概略を見たら悲惨な人生でも、私がここでいい気分でいるってことは、それほど悪くないってことなんだ。」

私は自分の考えにとりつかれたように、一気に言った。

おばさまは、にっこりと笑って大きくうなずき、

「そうよ、由美ちゃん。そのとおりよ。よくわかったわね。あなたはもう大丈夫。」

と言った。

「あとの人はともかく、あなたの人生は実はそう悪くなかったのよ。絶対にそう思えないとは思うけれど、最悪の中でもベストをつくしたっていう言い方はあてはまるんじゃなくって？　最後の最後まで、あなたはずうっとそのすばらしい真っ白なあなたのままだったんだから。あなたの持っているイメージ、あなたが受けた愛や親しみ、昇一やその他のボーイフレンドの恋心、みんなほんものなのよ。現実の人たちが現実の中でやっ

てるつもりで実は幻だということと同じくらいに、リアルなものなのよ。それだけは信じてね。」

「うん、ピクニックのところでなぜかぴんときました。わかりました。」

私はうなずいた。

「よかった。」

おばさまがまた少女みたいににこっと笑った。

「あのね、こんな悲しいどろどろしたはずの会話が、こんなにかわいらしくさっぱりとしているのは、やっぱりあなたがとてもすてきだからなのよ。それってすごく救われることなの。ありがとうね。私、あなたに関わってうんと幸せな気持ちになったわ。私も、昇一と、それからこの世のいろんなこととお別れするのはやっぱり淋しかったのよね。」

そして私をぎゅっと抱きしめた。

「おばさまの感触はやっぱりママに似てます。」

私は言って、ちょっと泣きたくなった。

「あんなデブといっしょにしないで。」

おばさまはさくっとそう言って、私のほっぺたにちゅっとキスをした。

そして、いつのまにか消えていた。

あ、きっともう時間がないんだ。昇一の夢が終わって、魔法が解ける時間が来ているんだ。私は思い、冷静になった。さようなら、私の世界。それから由美子である私。それともどこへ行ってもまだ由美子のままなのかな？　わからなかったけれど、目の前にだんだん窓のような隙間ができてきて、そのあいだに寝ている昇一が見えた。昇一の部屋はもうすぐ夜明けを迎えようとしている。彼のほほは朝焼けといっしょにピンクに染まりそうだ。そこにはもはや私のふとんもなく、もちろん寝ているはずの私もいなくって、それを見たらほんとうのほんとうにあきらめがついた。

ずっといっしょにいたから淋しいけれど、もう行くときが来たし、これからどんなことがあっても昇ちゃんが健康で幸せでよい人生を送りますように、ほんとうに好きな人と愛し愛されて結婚しますように、自分のことは全く考えずにそう思った。

それはあの日、庭で昇一がねたましかったのとは全く反対の感情で、自分は全然いなくていい、別にどうなってもいいから、昇一にこんな寝顔でずっといてほしいと心底思ったのだ。

昇ちゃんを置いていくおばさまの気持ちがちょっとだけわかったし、おばさまがほんとうは苦しいくらい強いその思いをあんなふうに粋に表現したところに尊敬を感じた。

そして少し思った。私はこの人生で子供を持つことはなかったけれど、子供を持つって、自分はもう素直に席をゆずってもいいな、というこんな気持ちなのかもしれないな。そしてママは、私がいたのに、こういう気持ちをだれに対しても一生持つことができなかったとてもかわいそうな人なんだ。

どうしてかというと、この気持ちの強さ大きさ柔らかさあたたかさ、よい香りがすることといったら、晴れた日に太陽の光の下でふんだんに時間をかけてふっくらと干した羽毛布団のようにすばらしかったからだ。この気持ちを抱いているというだけで、自分までしんから温まる。

私は気づくとポケットに入っていた、あの像を出した。ちょこんと座って手のひらの上でそれは確かに重く感じられた。

きっとこの中にはまだおばさまの書いた紙の切れ端も入っている。おばさまの筆跡がまだあるだろう。昇ちゃんにあげよう、と私は思った。このカッパくんを現実世界に残して行くくらいの力は私にも残ってるかなあ、腐っても魔女の孫や子だからなあ。この業界も三代目となると長いからなあ、そのくらいはできるに違いない、そう思ったことにぷっと笑ってしまった。私は生きていたって、ずっと魔女の血をひいている自分と折り合いをつけていかなくちゃいけなかったんだろうなあ。もしもこの先があるとしたらだけれど、それは次回の宿題でいいや、そう思ったら、気が楽になった。なかったらなかったでいい、隈さんやおばさまの言ったとおりで、私は多分ベストをつくしたのだろうから。

それを教えてくれたその人たちがいたことも、私をほんのり温めていた。幽霊って冷たいものかと思ってた、とひとり思ってくすっと笑った。

それから私はカッパを持って、その裂け目にぐうっと手を入れた。できると思ったらできたのだった。昇一に触れることはできなかったけれど、カッパをそっと枕元に落とすことはできた。

ありがとう、ごめんね、ひとりで置いていくこと、ゆるしてね。きっと目が覚めたらこんな重い夢をさまよったから疲れていてぐったりして、体も痛いだろうし、悲しくて、淋しくて、カッパを見て昇ちゃんは少し泣くだろう。それらもみんな私のために背負ってくれることだということに、なによりもごめんなさい。

私、よく知りもしないのに、あなたのことをとっても愛してるみたいに思う。さようなら。

どうかあなたの人生が楽しいものでありますように。

優れたおばさまとへなちょこな魔女見習いである私と、ふたりの良き魔女の願いを彼の人生に込めて、私はそう祈った。きっと、人を愛するってそういうことなのかもしれないな、と私は思った。自分は全然抜きに相手のことを考えられるってこと。私はこの人生でそのことをほんとうには知ることがなかったけれど、おばさまと昇ちゃんのおかげで、そのはじっこの柔らかい感触にちょっとだけ触れることができた。

ものごとは最後の最後まで、なにがどうなるかわからないものだなあと私は思っていた。両手一杯に人からいただいた花束のようによい香りのきれいな感情を抱えて、私は旅立つのだから。

それはまるで、今いたところは楽しかったな、さて、これからどこに行くのかな、といつも通りにちょっと切ないメロディの鼻歌を歌いながら、乗り物に乗る場所に向かうときみたいな、そんな感じだった。

あとがき

この小説は、もはやとてもそうは思えないと思いますが、ダリオ・アルジェントの『トラウマ』という映画をベースに書かれています。

そのことを快く許可し、私の人生そして創作人生を支えてくださったダリオにこの小説を捧げます。


このつらいファンタジーを書く過程で取材に応じてくださった「ホ・オポノポノアジア」の平良さん、イハレアカラ・ヒュー・レン博士、ありがとうございました。

救われない物語を優しく抱き救ってくれたのは多分この人たちです。

それからキャンドルジュンさん、無断で名前をお借りし、キャンドルを小道具に使ってしまってごめんなさい。これを書いている間ずっと、あなたのキャンドルを灯していました。

また、この本は文藝春秋の親しい編集の方たちの力をたくさん借りて完成しました。ともに働くことを光栄に思うような方たちです。平尾さん、森くん、石井くん、丹羽くん、大久保さん、ほんとうにありがとう。

今は作品をほとんど創られていないのに、この小説のために力を貸してくださった合田ノブヨさん、ありがとう。

ばなな事務所のスタッフの長井さん、小口さん、井野さん、ありがとう。

そしてなによりも、読んでくださった読者の方たちにありがとうございます。

よしもとばなな

2008年夏

本書は書き下ろし作品です。

彼女《かのじょ》について　ISBN978-4-16-327580-2

2008年11月15日　第1刷

著　者　よしもとばなな
発行者　庄野音比古
発行所　株式会社　文藝春秋
東京都千代田区紀尾井町3-23　〒102-8008
電話（03）3265-1211
印刷所　精興社
製本所　加藤製本

定価はカバーに表示してあります。万一、落丁乱丁の場合は送料当方負担でお取替え致します。小社製作部宛お送り下さい。

よしもとばななの本

体は全部知っている

日常に慣れてしまうことで忘れていた、
ささやかだけれどとっても大切なもの。
心と体がひとつになって癒される短篇集。全13篇収録

デッドエンドの思い出

人の心の中にはどれだけの宝が眠っているのだろうか——。
時が流れても忘れ得ぬ、かけがえのない一瞬を
鮮やかに描いた傑作短篇集

High and dry（はつ恋）

14歳の夕子のはつ恋の相手は20代後半の絵の先生。
ちょっとずつ、歩みよって、仲良くなっていくふたりに
訪れた小さな奇跡とは——

イルカ

この気持ちはどこから来るのだろう？
生命の誕生、まだこの世にやってきていない
ある魂との出会いを繊細に描いた書き下ろし長篇